B.B.C.

MESSAGES PERSONNELS

31) La lune est pleine d'éléphants.
32) Adressez-vous au bureau de change.
33) Les noms propres me rappellent l'Armistice.
34) Un froid de saison.
35) Irène sort ce soir.
35) C'est l'abbé Bernard qui m'a raconté cette histoire.
36) Madeleine attend depuis 10 minutes.
37) Il ne faut jamais entrer par la porte de sortie.
38) Pour Amélie. Attendez le retour d'Antoine et d'Angèle.
3(9)Cristian. Laissez tes cheveux tranquilles.
40) Nous gaverons les canards.
41) Fané est un chien de ...
42) L'espoir brille toujours.
43) Les impôts pèsent sur les commerçants.
44) Lachez a un beau sourire.
45) Les condamnés attendent le conseil de guerre.
46) La peinture se détache par écailles.
47) Faut il qu'un si grand coeur montre tant de faiblesse.
48) Elle parla à tort et à travers.
49) Pour la première fois l'aigle baisse la tête.
50) L'arrosoire est percé.
51) C'est une croix à double traverse.
52) Rouleau habite Madrid.

42)L'espoir brille

La lune est pleine

49) Pour la première fois

l'aigle baisse la tête.

51) C'est une croix à

double traversée

SOMMAIRE

LA RÉSISTANCE
UNE MORALE EN ACTION

Laurent Douzou

DÉCOUVERTES GALLIMARD
HISTOIRE

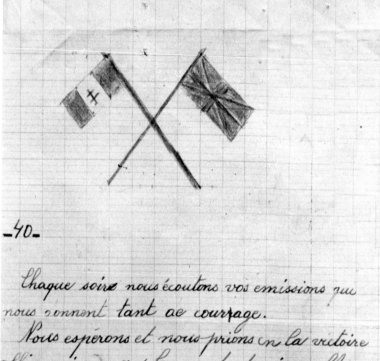

_-40-_

Chaque soir nous écoutons vos émissions qui
nous donnent tant de courrage.

Nous espérons et nous prions en la victoire
alliée qui sauvera le monde du joug allemand

Pour tous les français le général De Gaulle,
est un héros.

Vive la France ! Vive l'Angleterre !

Deux garçons de 13 ans

X   X

« Nous n'étions qu'une poignée en 1940, mais étions-nous déjà représentatifs d'une part importante de l'opinion française ? En ce qui me concerne, je l'ai cru dès le premier jour et il me semble qu'aucun de mes camarades n'a jamais mis la chose en doute devant moi. Mais dans le cas contraire, qu'aurions-nous fait ? La même chose, je pense, en espérant que nos compatriotes finiraient par nous suivre. »

Germaine Tillion,
Combats de guerre et de paix, 2007

CHAPITRE 1

LA RÉSISTANCE PIONNIÈRE

Envoyée fin 1940 à la BBC, la lettre manuscrite de deux garçons de 13 ans (à gauche) atteste un enthousiasme juvénile. Ci-contre, une fausse carte d'identité de Pierre Brossolette, visage grave et pensif, déjà plongé à cette date dans la lutte clandestine.

La défaite de 1940 agit comme un séisme qui ébranle jusque dans ses tréfonds un pays miné par les fortes tensions des années trente et dont l'identité nationale est en crise. La défaite, fulgurante et humiliante, propage un effet de souffle dévastateur. L'armistice qui entre en vigueur le 25 juin 1940 morcelle une France qu'il prive de sa souveraineté. Occupée et exploitée par les nazis au nord de la ligne de démarcation, gouvernée par l'État français installé à Vichy sous l'autorité du maréchal Pétain, la France n'est plus que l'ombre d'elle-même. Elle entre dans la nuit de l'Occupation. Découragée, déboussolée, la population est appelée par le nouveau pouvoir à la contrition et à la repentance. Malgré cela, immédiatement, des initiatives voient le jour. Motivées par le désir de « faire quelque chose », elles portent l'idée que la défaite n'est pas irrévocable et qu'une action est possible. C'est vrai en France métropolitaine comme à Londres où, dès le 18 juin, Charles de Gaulle estime que la première chose à faire est de « hisser les couleurs ».

LA FRANCE
déclare

Signal, le principal journal de la propagande nazie, se fait un malin plaisir de publier des clichés soignés du défilé de la victoire de la Wehrmacht à Paris. Ci-dessus, la cavalerie parade avenue Foch avec l'Arc de triomphe en toile de fond. De telles images, qui mettent en scène la puissance de l'armée allemande, soulignent l'humiliation française que l'occupation de Paris symbolise cruellement.

« Faire quelque chose »

L'invention de toutes pièces de ce que nous appelons « la Résistance » est strictement contemporaine de la débâcle et de l'annonce, le 17 juin, par le maréchal Pétain de la cessation du combat et de la demande d'armistice. Qu'en pleine bataille, le tout nouveau président du Conseil appelle à cesser le combat, voilà ce que quelques individualités ne peuvent se résoudre à accepter. Il y a aussi ceux qui, tout en accordant leur confiance au vainqueur de Verdun, ne peuvent consentir à l'occupation du pays par un ennemi tout-puissant. Mais cette résistance-là ne

Tout naturellement, la une du *Matin* du 18 juin 1940 (ci-dessous) est consacrée au discours du maréchal Pétain annonçant la veille sa décision de cesser le combat. Très hostile au Front populaire et au gouvernement Daladier, ce journal d'extrême-droite n'analyse pas la nouvelle qu'il livre – ou confirme – à ses quelque 300 000 lecteurs. L'heure n'est pas à l'exégèse mais à l'énonciation d'une nouvelle qui sonne comme un coup de tonnerre.

ÉDITION DE PARIS MAR I 18 J IN 1940

T METTRE BAS LES ARMES
e maréchal Pétain

Cette image arrêtée d'un homme qui pleure est-elle bien contemporaine de l'entrée des troupes allemandes dans Paris le 14 juin 1940? En tout cas, elle est passée à la postérité comme telle tant le désespoir sans phrase qu'elle exprime coïncide avec la situation d'un pays humilié et défait. L'occupation n'est pas un vain mot et tristesse et stupéfaction se lisent aussi sur les visages au second plan.

s'écrit pas encore avec un grand « R ». Elle est avant tout un refus qui a quelque chose de viscéral. Elle consiste dans une prise de conscience de la gravité de la situation et une incapacité à s'incliner. *Ex nihilo*, des individualités entreprennent de « faire quelque chose », selon une expression très usitée alors et qui dit bien l'indétermination des projets flous, souvent chimériques qu'elles nourrissent.

De cette photographie où, au mois de juillet 1940, posent côte à côte le Feld-Kommandant von Gutlingen et le préfet de Chartres dans un cadre bucolique, un teckel au premier plan, semble émaner une impression de sérénité

Le temps des individualités

Dans ses tout débuts, la résistance n'est qu'une poussière d'initiatives individuelles de femmes et d'hommes livrés à eux-mêmes. Quelques exemples – réchappés de l'oubli parce qu'ils concernent des personnalités qui jouèrent un rôle visible dans l'histoire de la Résistance – permettront de mieux comprendre le sens et la teneur de cette action balbutiante et dénuée de tout calcul.

Le premier est celui du préfet d'Eure-et-Loir, Jean Moulin. Soumis à de fortes pressions, puis passé à tabac par l'occupant qui exige qu'il signe un texte imputant la responsabilité de civils tués par les Allemands à des troupes sénégalaises de l'armée française, cet homme de 41 ans est jeté dans une cave de sa préfecture de Chartres le 17 juin au soir sous la menace de nouveaux sévices. Conscient qu'il est allé jusqu'à la limite de la résistance et qu'il finira par signer, il s'entaille la gorge avec des débris de verre qui jonchent le sol dans l'intention de mettre fin à ses jours. C'est miracle s'il survit.

et de courtoise cohabitation. Le foulard qui dissimule la blessure de Jean Moulin est là pour rappeler que les apparences sont trompeuses. En réalité, le préfet, dont l'attitude force le respect de l'occupant, est un homme encore convalescent. Il en coûte cher de ne pas se plier aux injonctions de l'armée d'occupation. Les rapports ne sont pas de courtoisie, ils sont de force.

Le geste était héroïque mais tragiquement isolé. En cela, il porte la marque des actes des premiers opposants aux nazis qui, dans la solitude, sans peser le pour et le contre, tinrent fermement leur cap, leur décision prise. La résistance des pionniers, c'est bien cette affaire intime où la conscience seule dicte la voie à suivre, sans supputer les probabilités d'une victoire.

Cette même nuit du 17 au 18 juin, Edmond Michelet agit aussi à sa manière. À Brive, ce courtier de 41 ans, démocrate-chrétien et père de sept enfants, glisse dans les boîtes aux lettres un tract reproduisant un texte de Péguy : « En temps de guerre, celui qui ne se rend pas est mon homme, quel qu'il soit, d'où qu'il vienne, et quel que soit son parti. Et celui qui se rend est mon ennemi, quel qu'il soit, d'où qu'il vienne, et quel que soit

Dans une France morcelée, dont la carte ci-dessous détaille la mise en coupe réglée par le vainqueur, des voix s'élèvent pour appeler à une attitude digne. C'est le cas des « Conseils à l'Occupé » dont l'écho sera fort chez ceux que la défaite révulse.

CONSEILS A L'OCCUPÉ

Ils sont vainqueurs. Sois correct avec eux. Mais ne va pas, pour te faire bien voir, au devant de leurs désirs. Pas de précipitation. Ils ne t'en sauraient, au surplus, aucun gré.

son parti. » En un sens, cet acte est dérisoire au regard de la situation du moment. En outre, il n'ouvre pas de perspective immédiate. Mais il est aussi essentiel : il dit le nécessaire sursaut des consciences.

Tel est aussi le cas du militant socialiste Jean Texcier, employé au ministère du Commerce qui, en juillet 1940, à Paris, rédige et entreprend de diffuser ses « Conseils à l'Occupé » qui se propagent vite.

Les sursauts individuels se marquent aussi par des départs clandestins pour l'Angleterre. Témoin, Jacques Bingen. Ce jeune homme de 32 ans, ingénieur civil des Mines, diplômé de l'École libre des sciences politiques, riche, menant une vie facile, quitte la France, laissant derrière lui les siens et tout ce qu'il possède. Il gagne Gibraltar où il écrit aux services britanniques pour offrir ses services, le 6 juillet 1940 : « Me voilà, échappé sain et sauf de la terre nazie et prêt à rejoindre l'Empire britannique et à combattre Hitler jusqu'à sa fin. J'ai perdu tout ce que j'avais, mon argent (plus un sou vaillant!), mon travail, ma famille qui est restée en France et que je ne reverrai peut-être jamais, mon pays et mon Paris bien aimé… Mais je demeure un homme libre dans un pays libre et cela compte plus que tout. »

Parmi ces départs, il en est un qui mérite d'être souligné en raison de sa dimension collective. C'est celui des 124 hommes de l'île de Sein, au large de la pointe du Raz, qui répondent à l'appel du général de Gaulle en partant en bateau pour la Grande-Bretagne : le plus âgé a 54 ans, le plus jeune 14.

Tout commence donc par de petits gestes qui marquent le refus d'accepter la situation qui prévaut au lendemain de la défaite et de l'armistice. Ce temps des individualités rend possible la deuxième étape, celle des « noyaux » (Germaine Tillion).

Le temps des noyaux

Dès l'été 1940 en zone nord, dans l'hiver 1940-1941 en zone sud, les individualités se regroupent en noyaux au gré de rencontres fortuites mais aussi en sollicitant prudemment leurs connaissances familiales, amicales, professionnelles. C'est plus difficile à faire qu'il n'y

L'ethnologue et linguiste Boris Vildé ne cesse pas de combattre en quittant l'uniforme qu'il arbore ci-dessus. Ainsi naît une « nébuleuse » qui réunit, notamment au musée de l'Homme, des gens déterminés. En décembre 1940, ils créent la feuille clandestine *Résistance*.

paraît : l'onde de choc de la défaite, le discours moralisateur et culpabilisant de l'État français, la dureté de l'occupant ont brouillé tous les repères et la peur fait taire les scrupules de conscience. Nul ne peut être sûr de personne et chaque rencontre oblige à jauger son interlocuteur avant de risquer une parole compromettante.

En 1936, sur le chantier du musée de l'Homme à Chaillot, un groupe joyeux entoure une pièce des collections de l'établissement. La jeune femme qui la

À Paris, un noyau se constitue, dès les premières semaines de l'Occupation, au musée de l'Homme autour de la bibliothécaire Yvonne Oddon, du linguiste Boris Vildé et de l'anthropologue Anatole Lewitsky. Ce groupement devient vite partie intégrante de ce que Julien Blanc, historien de cette résistance pionnière, caractérise comme une « nébuleuse », c'est-à-dire une mouvance où des passerelles s'établissent entre des groupes épars. Cette organisation à plusieurs têtes (Boris Vildé, la jeune ethnologue Germaine Tillion, les colonels de La Rochère et Hauet, tous deux septuagénaires) étend graduellement ses antennes très au-delà de Paris. Les actions qu'elle mène sont multiples : montage

considère, tête penchée, est la bibliothécaire Yvonne Oddon. À son côté, le jeune homme au costume croisé est l'anthropologue Anatole Lewitsky. Dans l'été 1940, ils sont membres d'un groupe pionnier de la résistance de zone nord, le « réseau du musée de l'Homme ». Les liens de sociabilité noués avant-guerre ont été essentiels dans cette initiative précoce.

de filières d'évasion, collecte de renseignements. Parce que la (re)conquête de l'opinion est une tâche prioritaire, la contre-propagande fait vite figure d'impératif. Le 15 décembre 1940, *Résistance, Bulletin du Comité national de salut public* paraît. L'éditorial porte encore la marque de la désespérance engendrée par la défaite : « Résister ! c'est le cri qui sort de votre cœur à tous, dans la détresse où vous a laissés le désastre de la Patrie. C'est le cri de vous tous qui ne vous résignez pas, de vous tous qui voulez faire votre devoir. Mais vous vous sentez isolés et désarmés, et dans le chaos des idées, des opinions et des systèmes, vous cherchez où est votre devoir. Résister, c'est déjà garder son cœur et son cerveau. Mais c'est surtout agir, faire quelque chose qui se traduise en faits positifs, en actes raisonnés et utiles. »

De format A4, comportant deux, voire quatre pages, les feuilles clandestines sont, à leurs débuts, de confection artisanale. Le numéro de septembre 1940 de *La Vie Ouvrière*, organe de la tendance communiste de la CGT, ne fait pas exception : le titre en est dessiné à la main pour donner l'impression de relief, le sous-titre est manuscrit et le corps du texte est simplement dactylographié. L'écho

Ne craignant pas d'affirmer que les auteurs de ce texte sont d'ores et déjà à même de coordonner les efforts de ceux qui veulent agir, cet éditorial a recours à l'arme du bluff dont usent nombre de pionniers. Pour l'heure, la nébuleuse du musée de l'Homme constitue bel et bien cependant un des noyaux les plus solides et les plus précoces. *Résistance* n'est toutefois pas la première feuille clandestine publiée en zone nord. Dès octobre 1940, *Pantagruel* et *Libre France* voient le jour à Paris en même temps que *L'Homme libre* à Roubaix. Compte tenu de la présence directe de l'occupant allemand, les groupements de zone nord mettent également au point des filières

rencontré par ces feuilles clandestines est sans commune mesure avec leur présentation austère. Un journal clandestin, c'est une denrée rare dont, longtemps, le rythme de parution est au mieux mensuel. C'est surtout une proclamation éthique et un signe de ralliement qui confère à ses diffuseurs une crédibilité précieuse.

JOURNAL HEBDOMADAIRE   **16 JUILLET 1941**   Tirage de zone libre

LES PETITES AILES

A lire attentivement.
A faire circuler prudemment.

«Vivre dans la défaite c'est mourir tous les jours»
Napoléon 1er

d'évasion pour les prisonniers, pour les aviateurs tombés en territoire ennemi.

En zone sud, des initiatives de même nature sourdent. À Lyon, qui tire bénéfice d'une position privilégiée en raison de la nouvelle géographie que dessine la ligne de démarcation, de petits groupes se montent. Berty Albrecht et Henri Frenay multiplient les efforts pour faire paraître des bulletins ronéotypés, *Les Petites Ailes*, puis *Vérités*; ils créent bientôt le Mouvement Libération nationale. Antoine Avinin, Élie Péju, Auguste Pinton, Jean-Jacques Soudeille fondent un cercle baptisé France-Liberté. Emmanuel d'Astier de la Vigerie crée, avec Jean Cavaillès, Lucie Samuel et Georges Zérapha, un embryon d'organisation : La Dernière Colonne. Fin novembre 1940, les professeurs de droit Pierre-Henri Teitgen et

Les groupes de résistance adossent souvent leur action à la parution – si possible régulière – de journaux. *Les Petites Ailes*, qui chemine dans les deux zones, *Liberté*, publié en zone sud, suivent les traces de *Pantagruel*, rédigé et fabriqué par Raymond Deiss dans son imprimerie parisienne.

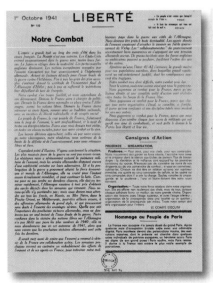

François de Menthon font paraître le premier numéro du journal *Liberté*.

Ces noyaux, qui regroupent quelques dizaines de personnes tout au plus, tentent d'essaimer mais le recrutement est difficile en zone sud où le gouvernement de Vichy et son chef jouissent d'une forte popularité. Pour tenter de surmonter ce handicap et de contrecarrer la propagande gouvernementale, ces groupes, que leur isolement menace d'asphyxie, font flèche de tout bois pour disséminer leur pensée. Ils écrivent à la main des inscriptions, puis collent des papillons, enfin rédigent et distribuent des tracts.

La répression allemande

En zone occupée, les Allemands réagissent vite et durement pour tuer dans l'œuf ces velléités de résistance. Le 11 novembre 1940, bien que toute manifestation soit interdite, quelques milliers

Un témoin allemand photographie à Amiens en 1941 l'exécution d'un résistant, qui avait coupé des lignes téléphoniques reliant les états-majors de l'occupant.

Der Ingenieur

JACQUES BONSERGEN

AUS PARIS

ist wegen einer Gewalttat gegen einen deutschen Wehrmachtangehörigen durch das Feldkriegsgeric zum

TODE VERURTEILT

und heute erschossen word

Paris, den 23 Dezember 19

DER MILITARBEFEHLSHABER IN FRANKREICH.

d'étudiants et lycéens réunis en cortèges convergent vers les Champs-Élysées pour se rassembler devant l'Arc de triomphe. L'occupant les disperse en tirant : il y a des blessés, plus d'un millier d'interpellations par la police française, une centaine d'arrestations par les Allemands et cinq condamnations à des peines de prison. En décembre, l'ingénieur Jacques Bonsergent est fusillé pour avoir bousculé un sous-officier allemand dans la cohue de la gare Saint-

L'occupant donne à des fins dissuasives une forte publicité aux condamnations à mort qu'il prononce par le biais d'affiches placardées en ville. Le 23 décembre 1940, l'exécution de Jacques Bonsergent, fusillé pour une banale rixe,

Lazare. Son exécution est annoncée publiquement par le biais d'affiches sur les murs de la capitale. Les Allemands démontrent aussi l'efficacité de leurs services de renseignement : en janvier 1941, Honoré d'Estienne d'Orves, un des premiers chefs de réseau envoyé en métropole par la France Libre, est arrêté. Ses compagnons (Maurice Barlier et Jan Doornik) et lui sont passés par les armes le 29 août 1941 au mont Valérien. La veille, trois ouvriers communistes (André Bréchet, Émile Bastard et Abraham Trzebrucki) ont été décapités.

Des militants et cadres communistes sont entrés en résistance depuis juin 1940, Charles Tillon appelant ouvertement par exemple à la lutte contre les Allemands dès ce moment. Mais l'appareil communiste ne s'y engage avec toute la détermination dont il est capable qu'à dater de juin

constitue un premier avertissement. En août 1941, l'annonce de la mort d'Honoré d'Estienne d'Orves, Maurice Barlier et Jan Doornik, après un procès devant une cour martiale allemande qui les a jugés pour espionnage, confirme le caractère impitoyable de la répression nazie. Sa redoutable efficacité aussi : le réseau Nemrod, que ces agents de la France Libre avaient monté, a été démantelé en un mois.

1941, et de façon tonitruante, avec l'exécution d'un officier allemand, le 21 août 1941 à la station de métro Barbès-Rochechouart à Paris. C'est un tournant. Le recours aux attentats individuels contre les Allemands, qui est loin de faire l'unanimité chez les résistants, accroît la répression et radicalise l'action.

En réalité, le combat du contre-espionnage allemand, l'Abwehr, et de l'appareil policier, la Sipo-SD, contre les pionniers des noyaux de résistance de zone nord est déjà engagé à cette date. Dans le premier trimestre de l'année 1941, le groupe développé autour de Boris Vildé est démantelé. En février 1942, un tribunal allemand condamne à mort sept hommes et à la déportation trois femmes du groupe Vildé. Le 23 février, Jules Andrieu, Georges Ithier Lavergneau, Anatole Lewitsky, Léon-Maurice Nordmann, René Sénéchal, Boris Vildé, Pierre Walter sont exécutés au mont Valérien. Germaine Tillion est arrêtée à son tour en août 1942.

« Un vent mauvais »

En zone non occupée, les résistants sont confrontés au seul gouvernement de Vichy jusqu'au 11 novembre 1942, date du franchissement par les Allemands de la ligne de démarcation. La répression y est moins dure même si la police et la justice de l'État français, confortées par l'arbitraire qui permet d'interner les opposants sans s'embarrasser de procédures, luttent efficacement contre ceux qu'elles considèrent comme des « dissidents ». La principale difficulté à laquelle se heurtent les précurseurs de la Résistance en zone sud tient au fait que le régime incarné par le maréchal Pétain s'appuie sur sa légalité et sa légitimité. Être opposant en 1940 et 1941 au sud de la ligne de démarcation, c'est se vouer à l'isolement.

Reste que, dans une zone comme dans l'autre, la Résistance se fortifie jour après jour. Le 12 août 1941, dans un long discours radiodiffusé, le maréchal

Objet d'un véritable culte qu'une propagande insistante développe jour après jour, Philippe Pétain pose ci-dessous en uniforme, ses étoiles de maréchal bien visibles, la prestigieuse médaille militaire sur la poitrine. Ce portrait, vendu au profit du Secours national à plus

« Je fais à la France le don de ma

d'un million d'exemplaires en zone sud, est censé représenter la simplicité et la bonhomie de l'homme qui a, le 17 juin 1940, fait « à la France le don de [sa] personne pour atténuer son malheur ». À dater de l'été 1941, son image se fait plus autoritaire et menaçante.

Cette affiche dessinée en octobre 1941 résulte d'une commande des services de l'Information de Vichy au jeune graphiste Éric Castel, qu'ils apprécient pour l'efficacité et la lisibilité de son trait. Elle s'inscrit dans une virulente campagne anticommuniste qui se double d'une répression sans frein. Le dessin est explicite : un résistant aux allures de gangster, qui tient dans sa main un revolver qui fume encore, apparaît – en même temps qu'il s'y dissimule – dans les plis du drapeau tricolore. Il est dans la main d'un personnage de haute stature qui ressemble à un Staline aux traits accusés. La chapka ornée de l'étoile rouge ne laisse en tout cas aucune place au doute : c'est bien un bolchevique. La légende est tout aussi claire : les résistants sont des assassins qui s'abritent derrière le patriotisme pour servir les intérêts du communisme. Se donne ici à voir un thème que la propagande de Vichy ne cessera de marteler et de décliner sur tous les modes. Dès cet automne 1941, la rhétorique anticommuniste est bien en place : terrorisme rime avec bolchevisme, pas avec patriotisme.

Pétain déclare : « De plusieurs régions de France, je sens se lever depuis quelques semaines un vent mauvais. » Et de préciser son inquiétude : « Un véritable malaise atteint le peuple français. » D'une tonalité menaçante, ce discours prend pour cibles les opposants les plus déterminés du pouvoir mais aussi ceux qui, comme le général Cochet, tout en se proclamant loyaux à son endroit, tentent d'impulser une action résistante. Quoi qu'il en soit, le diagnostic posé par Philippe Pétain est juste. Car, dans cet été 1941, ceux des noyaux qui ont survécu à la répression et réussi à tracer leur route donnent naissance à de véritables organisations de plus en plus structurées.

Le régime de Vichy est en plus mauvaise posture encore que son chef ne le croit. Le deuxième semestre de l'année 1941 voit, en effet, la Résistance intérieure de zone sud et la France Libre opérer leur première véritable jonction. C'est que, tandis qu'une résistance tentait d'exister et de se déployer en France, une autre voix s'était élevée à Londres.

« Seul et démuni de tout »

Aux origines de la France Libre, il y a un homme « seul et démuni de tout », pour reprendre les termes du général de Gaulle décrivant dans ses *Mémoires de guerre* sa situation au moment où il franchit le Rubicon, c'est-à-dire la Manche. Force est de constater que le mémorialiste, habile à donner du relief à son action, avait en l'occurrence pleinement raison.

Chargé depuis sa nomination le 5 juin comme sous-secrétaire d'État des relations avec les Britanniques, le général de brigade à titre temporaire de Gaulle s'envole, le 17 juin au matin, pour l'Angleterre avec son officier d'ordonnance et un viatique de 100 000 francs prélevé sur les fonds secrets de la présidence du Conseil. Il sait dès ce moment que le parti de l'armistice l'a emporté et ne peut se résoudre à cette capitulation.

Sa notoriété alors ne dépasse pas les cénacles étroits des sphères gouvernementales et de l'état-major. Son projet ? Il est simple et démesuré à la fois : créer un point de fixation qui représente la seule France qui vaille, celle qui se bat. Son analyse de la situation, on la connaît bien grâce à l'appel du 18 juin qui rassemble l'argumentation qu'il a cogitée dans les mois, semaines et jours qui ont précédé. Ce texte est l'un des très rares de cette époque qui pense la situation en des termes stratégiques qui dépassent le cadre de la bataille de France pour s'élever au niveau

L'appellation de *Bulletin Officiel*, dont est reproduit ci-dessous le numéro 1 du 15 août 1940, dit bien la volonté du général de Gaulle d'asseoir son statut. La nouvelle de la reconnaissance du gouvernement britannique ne barre pas le haut de la page pour rien. De même, la reproduction de l'appel du 18 juin – et de sa

version ramassée pour une affiche dont le texte fera mouche – atteste que la France Libre est en gestation et en quête de légitimité.

planétaire. La situation esseulée de son auteur se marque par la manière même dont il se présente : « Moi, général de Gaulle, actuellement à Londres... » On ne saurait dire plus clairement que le sous-secrétaire d'État d'un gouvernement qui a démissionné n'a aucun titre à parler. C'est égal. Il fera comme si. Et puisque aucune des hautes personnalités qu'il sollicite ne daigne répondre, il sera le chef d'un mouvement qui est à créer de toutes pièces. Et puisqu'il n'est pas un gouvernement en exil, il va prendre la dénomination de « France Libre ».

Cette photo de Charles de Gaulle devant le micro de la BBC aurait été prise le 18 juin 1940. On aurait donc l'image mais pas le son puisque aucun enregistrement de l'appel fondateur n'a été conservé. Quoi qu'il en soit, le jeune général est ici représenté seul avec la seule arme à sa disposition :

L'ascension difficile de la France Libre

Le 28 juin, le gouvernement britannique le reconnaît comme « chef de tous les Français libres, où qu'ils se trouvent, qui se rallient à lui pour la défense de la cause alliée ». C'est beaucoup et peu à la fois. Beaucoup parce que la force du symbole

un micro capable de porter son verbe et ses analyses pour que soit envisageable une action que la froide raison condamne à ce moment-là.

commence à s'imposer. Peu parce que cette appellation dit l'embarras de qualifier ce qu'il incarne selon les critères diplomatiques habituels. En août, il conclut un accord avec Churchill en trois points : * les Forces françaises libres (FFL) tout en acceptant les directives du commandement britannique sont une armée à part entière ; * le général peut créer une administration civile et militaire ; * son mouvement sera financé par les Britanniques qui seront remboursés la guerre achevée.

Le 27 octobre 1940, un embryon de gouvernement, le Conseil de défense de l'Empire, est créé. Cette création est rendue possible par le ralliement de certains territoires coloniaux à la France Libre : le Tchad, le Cameroun, le Congo notamment. Mais, en septembre, une expédition navale montée avec les Anglais en direction de Dakar a échoué à cause de la ferme riposte des autorités vichystes sur place. Revers cuisant qui

En octobre 1940, de Gaulle s'entretient avec Félix Éboué, gouverneur du Tchad, dont le ralliement fin août a entraîné l'adhésion de la quasi-totalité de l'Afrique-Équatoriale française et du Cameroun.

prouve la difficulté de la tâche de la France Libre et lui ôte de sa crédibilité vis-à-vis des Britanniques. Cahin-caha, la France Libre gagne du terrain tout de même, s'emparant du Gabon et contrôlant ainsi l'Afrique-Équatoriale. Fin 1940, les Français Libres sont environ 35 000. Ils remportent des succès en Érythrée et en Libye : là, le colonel de Hauteclocque, dit Leclerc, s'empare de l'oasis de Koufra le 1er mars 1941 et fait le serment de ne pas déposer les armes avant d'avoir libéré Strasbourg.

En juin-juillet 1941, Britanniques et FFL attaquent la Syrie encore fidèle à Vichy. Des combats entre Français ont lieu avant que les troupes vichystes ne capitulent. L'affront de Dakar est lavé.

Le 24 septembre 1941, le Conseil de défense de l'Empire se mue en Comité national français. Cela traduit une évolution nette de la France Libre. D'abord organisé en bureaux, comme un état-major militaire, puis en Conseil, le mouvement progresse vers l'ébauche de structures gouvernementales. Il est conforté par le comportement héroïque des soldats de la France Libre : en Libye, à Bir Hakeim, en mai-juin 1942, Koenig et ses hommes retardent l'avancée de l'Afrikakorps de Rommel vers l'Égypte.

Peinte sur le fuselage du bombardier, en cours d'armement avec quatre bombes dont l'une baptisée « Hitler », la croix de Lorraine signe son appartenance aux Forces aériennes françaises libres (FAFL). L'appareil fait partie du groupe de bombardement Lorraine, né officiellement le 24 septembre 1941, et qui recevra la Croix de la Libération. Les chenillettes du 3e bataillon de la 13e demi-brigade de la Légion étrangère (à gauche) permettent, dans la nuit du 10 au 11 juin 1942, l'évacuation d'un convoi de blessés à Bir Hakeim. Les soldats de Koenig livrent dans ce coin perdu de Libye un combat héroïque qui leur vaut un prestige considérable.

Petit à petit, la France Libre devient donc une force qui compte. Intraitable quant à ses prérogatives et à son indépendance, de Gaulle entretient des relations difficiles avec les Britanniques et plus encore avec les Américains. Roosevelt ne pardonne pas à la France Libre de s'être emparée fin décembre 1941 de Saint-Pierre-et-Miquelon qu'il avait promis à Vichy de conserver dans sa mouvance. Les Alliés reprochent à de Gaulle sa raideur. L'intéressé s'en est expliqué dans ses *Mémoires de guerre* : « C'est en agissant comme champion inflexible de la nation et de l'État qu'il me serait possible de grouper, parmi les Français, les consentements, voire les enthousiasmes, et

Cette photographie, prise le 14 février 1941 au cours d'un exercice de chars en Grande-Bretagne, place logiquement en son centre Winston Churchill, intraitable chef de guerre malgré sa tenue civile, son chapeau melon, son nœud papillon. À ses côtés, le général de Gaulle et Wladyslaw Sikorski, Premier ministre polonais en exil.

d'obtenir des étrangers respect et considération. Les gens qui, tout au long du drame, s'offusquèrent de cette intransigeance ne voulurent pas voir que, pour moi, tendu à refouler d'innombrables pressions contraires, le moindre fléchissement eût entraîné l'effondrement. Bref, tout limité et solitaire que je fusse, et justement parce que je l'étais, il me fallait gagner les sommets et n'en descendre jamais plus. »

Parti de rien, le général de Gaulle parvient à devenir une force avec laquelle les Alliés doivent, bon gré mal gré, compter. D'autant qu'il dispose, à dater de 1942, d'un atout supplémentaire : la France Libre parvient à nouer des relations avec la Résistance intérieure qui est née et s'est développée parallèlement à elle pendant les dix-huit premiers mois de son existence.

La rencontre entre la Résistance intérieure et la France Libre

Si le service de renseignements de la France Libre a envoyé très tôt des missions en France, la vraie rencontre entre les deux résistances est tout de même tardive. C'est que chacune a d'abord dû s'efforcer d'exister avant de songer à nouer des contacts avec l'autre. Ces contacts, c'est en zone sud qu'ils vont se nouer grâce à deux hommes à qui l'histoire et la mémoire rendent inégalement hommage. Le premier, jeune employé de 27 ans, syndicaliste chrétien avant-guerre, membre de l'expédition de Narvik, est l'un des rares qui aient choisi de rester à Londres au lendemain de l'appel du 18 juin pour soutenir l'action du général de Gaulle. Il s'appelle Yvon Morandat et est parachuté en zone non occupée dans la nuit du 6 au 7 novembre 1941 avec pour mission de se renseigner sur les groupes de résistance qui émergent. En deux mois, il noue de précieux contacts et prépare ainsi le terrain pour une mission plus ambitieuse, confiée à Jean Moulin.

Ci-dessous, Émile Muselier, commandant les Forces navales françaises libres (FNFL), lisant un document en compagnie du capitaine de vaisseau Moret. Ce vice-amiral est le premier officier général qui ait rejoint Charles de Gaulle à Londres, le 29 juin 1940. Avant que des désaccords ne l'éloignent du chef de la France Libre, il en est le numéro deux. À l'arrière-plan, la croix de Lorraine, choisie par Muselier en référence à ses origines familiales lorraines, symbolise l'opposition à la croix gammée nazie et donne un emblème à la France Libre.

32

« On lit généralement dans les manuels scolaires qu'en 1942 "la Résistance s'organise". C'est faire trop bon marché des efforts antérieurs. Mais c'est au cours de cette année-là que la Résistance-Institution a pris corps. L'événement n'a peut-être pas changé grand-chose au destin des batailles. Il devait marquer profondément les premières années de la paix retrouvée. La France a souvent été en retard d'une guerre. Elle fut, en 1942, en avance d'un après-guerre. »

Charles d'Aragon,
La Résistance sans héroïsme, Le Seuil, 1977

CHAPITRE 2

LA RÉSISTANCE SUR LE FIL DU RASOIR (1941-1942)

Le tract tricolore (à gauche) puise dans l'héritage républicain : la croix de Lorraine en glaive, la devise « Vivre libre ou mourir », Marianne vindicative inspirée de *La Marseillaise* de Rude. Ci-contre, *Les Trois Mousquetaires du maquis*, bande dessinée de Marijac (1944).

Nées dans une atmosphère de désolation, les initiatives pionnières, menées avec la foi du charbonnier, se cristallisent et s'ordonnent vaille que vaille. Elles commencent aussi à se coordonner en liaison avec la France Libre dont l'intervention dans le petit champ clos de la clandestinité bouleverse la donne sur fond d'un conflit qui devient vraiment mondial en 1941 avec les entrées en guerre de l'URSS et des États-Unis.

Le patron du mouvement Combat, Henri Frenay (à gauche), sérieux et concentré. Si la photo d'identité impose ses contraintes, elle rend assez bien compte ici de la personnalité de ce jeune officier brillant. Son homologue de Libération-Sud, Emmanuel d'Astier de la Vigerie, affiche ci-dessous une élégante décontraction qui est dans sa manière d'être.

Dans la plupart des cas, les noyaux nés en 1940 se muent progressivement en des mouvements adossés à un journal qui se révèle être leur meilleur recruteur : au fur et à mesure que les tirages augmentent, il faut trouver des diffuseurs, c'est-à-dire des militants. La parution d'un journal vaut à ses maîtres d'œuvre une crédibilité qui faisait jusqu'alors cruellement défaut.

Les mouvements de la zone non occupée

En zone non occupée, trois mouvements se dégagent ainsi des tentatives des débuts dont beaucoup ont avorté. Le plus important est le Mouvement Libération française, qui résulte de la fusion en novembre 1941 de deux noyaux de la première heure, Liberté et Libération nationale. Il publie un

journal, *Combat*, dont l'importance est telle que le mouvement ne tarde pas à être désigné sous ce nom. Avec pour alter ego la surintendante d'usine Berty Albrecht, une tête politique âgée de 47 ans, son principal dirigeant est l'officier de carrière Henri Frenay. Esprit organisé et méthodique, ce capitaine de 35 ans pense très tôt l'action en termes d'organisation structurée.

Un autre groupe émerge qui prend le nom du journal qu'il fait paraître à partir du mois de juillet 1941, *Libération*. À sa tête, le journaliste Emmanuel d'Astier de la Vigerie,

qui vient de passer le cap de la quarantaine, est l'exacte antithèse de son homologue de Combat. Visionnaire, enflammé, d'Astier pense l'action en termes de dynamique. Dès l'été de 1941, il approche Daniel Mayer, figure de proue d'un parti socialiste clandestin en voie de constitution, et Léon Jouhaux, qui incarne la mouvance résistante de la Confédération générale du travail (CGT). Tous deux lui prêtent l'aide de militants aguerris.

Le troisième mouvement, Franc-Tireur, a pour chef Jean-Pierre Lévy, un ingénieur qui, à tout juste 30 ans, se distingue à la fois par sa vision prospective et par une pondération qui contraste avec les personnalités éruptives de Henri Frenay et d'Emmanuel d'Astier.

Ces trois mouvements dominent le paysage de la résistance non communiste de zone sud et absorbent de petits groupements qui peinent à développer leur action. Ils émergent dans le second semestre de l'année 1941 au bout d'une année de tâtonnements.

À côté d'eux, d'autres initiatives se font jour comme la parution, en novembre 1941, à Lyon, des *Cahiers du Témoignage chrétien* dont le premier

À gauche, Jean-Pierre Lévy, chef de Franc-Tireur, visage lumineux, porte loin le regard : « Il avait surtout la volonté de faire grand et large », témoigne après la guerre son camarade Auguste Pinton, pointant la raison pour laquelle une personnalité s'imposait dans les noyaux pionniers comme numéro un.

Le caractère de chacun de ces trois chefs, promus par accord tacite sans vote, influa sur la façon d'être et la ligne politique des mouvements qu'ils dirigèrent : organisée et efficace à Combat, bohème et politisée à Libération-Sud, raisonnée et ironique à Franc-Tireur. Non directement confrontée à l'occupant jusqu'en 1942, la résistance de zone sud fut plus politisée que celle de zone nord.

numéro a pour titre : « France, prends garde de perdre ton âme ». L'auteur du texte de cette brochure de dix-sept pages est le théologien Gaston Fessard. Le titre de cette publication atteste la volonté œcuménique de cette résistance spirituelle qui, à l'encontre de l'antijudaïsme traditionnel de l'Église catholique, pourfend l'antisémitisme professé par l'État français et l'occupant.

Les mouvements de zone occupée

En zone occupée, l'heure est aussi à la naissance et au développement de mouvements. Des syndicalistes de la CGT et de la Confédération

Que ce cliché représente l'atelier de faux papiers du dessinateur Jean Stetten-Bernard, ou une imprimerie lyonnaise où était tiré *Témoignage chrétien*, il rappelle le rôle crucial joué par les ouvriers du livre – saisis peut-être ici sur le vif en plein travail – dans ce volet essentiel et dangereux de l'action résistante.

française des travailleurs chrétiens (CFTC) se regroupent dès l'automne 1940 quand Vichy décrète la dissolution de leurs confédérations. Ils sont à l'origine de Libération-Nord dont le journal est publié pour la première fois en décembre 1940 par les soins de Christian Pineau, avant la guerre secrétaire adjoint de la Fédération des employés de banque CGT. Ce même mois, à Paris, naît l'Organisation civile et militaire (OCM) que dirigent l'industriel Jacques Arthuys, ancien combattant de 14-18, admirateur du maréchal Pétain mais hostile à la collaboration et ennemi déclaré du nazisme, les colonels Alfred Heurtaux et Alfred Touny, l'expert économique Maxime Blocq-Mascart, né comme Arthuys en 1894.

Défense de la France commence artisanalement, comme en fait foi ce numéro qui, sous la plume d'Indomitus, pseudonyme de Philippe Viannay, fait référence à

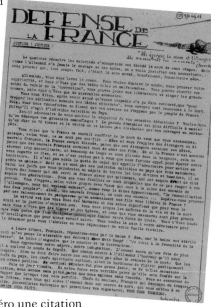

Dans l'été 1941, avec une logique comparable, un groupe d'étudiants emmenés par un jeune homme de 24 ans, Philippe Viannay, secondé par et Robert Salmon, crée *Défense de la France* qui porte en exergue de chaque numéro une citation de Pascal qui décrit bien l'état d'esprit de ces pionniers : « Je ne crois que les histoires dont les témoins se feraient égorger. »

À ces groupements qui rayonnent fortement, il faut ajouter une kyrielle d'organisations qui participent de la vitalité de la résistance de zone occupée : Valmy, créée le 20 septembre 1940, jour anniversaire de la victoire de 1792, par Raymond Burgard, professeur au lycée Buffon, qui est arrêté en avril 1942 ; Résistance, créée en octobre 1942 à Paris par Marcel Renet qui intègre des membres de Valmy ; Ceux de la Libération, née dans l'été 1940 des efforts de l'ingénieur Maurice Ripoche, arrêté en mars 1943, interné en Allemagne, décapité en juillet

l'exécution par les Allemands de cent otages le 14 décembre 1941. Le journal ne tarde pas à professionnaliser sa présentation grâce à la compétence de l'imprimeur Jacques Grou-Radenez et à une Rotaprint que le mouvement possède en propre. En 1944, son tirage atteindra 450 000 exemplaires : joli tour de force dans un pays occupé, où le papier est contingenté et la surveillance constante !

1944, qui bâtit un mouvement comptant de nombreux ingénieurs et officiers ; Ceux de la Résistance, qui se constitue, à l'instigation de Jacques Lecompte-Boinet et Henry Ingrand, en 1942 à partir des lambeaux de l'antenne en zone nord du mouvement Libération nationale d'Henri Frenay.

Une mosaïque d'organisations

Si les mouvements de zone sud présentent, en dépit des forts sentiments d'identité et d'appartenance de leurs cercles dirigeants, beaucoup de similitudes,

Côte à côte, deux cartes d'identité différentes pour une même jeune femme, Jacqueline Dreyfus, juive et résistante. Celle de gauche, établie à sa véritable identité, porte le cachet rouge « JUIVE », obligatoire en zone occupée dès octobre 1940. Celle de droite, émise en novembre 1941, porte un nom et

il n'en va pas de même en zone nord où certains groupements, comme l'Organisation civile et militaire, Ceux de la Résistance, Ceux de la Libération, n'ont pas de journal en propre, marquant par là la prééminence de l'action militaire aux yeux de leurs chefs. Au contraire, Défense de la France fait de sa feuille le pivot de son activité tout en développant un remarquable service de faux papiers. De son côté, Libération-Nord entretient des liens

un prénom inventés avec les mêmes initiales, ce qui est une sage précaution en ce temps où le linge est souvent marqué ou brodé.
Les faux papiers sont à la fois un moyen de survivre en échappant à la traque et de mener des activités clandestines.

très étroits avec les militants syndicalistes et socialistes, ce qui lui donne une coloration politique marquée.

La Résistance ne se limite pas aux seules grandes villes et aux mouvements qui acquièrent au fil des mois une stature nationale. Des groupes et des journaux à vocation régionale exercent une influence forte. Ainsi de *La Voix du Nord*, fondé à Lille dans la zone rattachée au commandement militaire allemand de Bruxelles en avril 1941 par deux anciens de 14-18, le socialiste Jules Noutour et le catholique Natalis Dumez, qui, malgré l'arrestation et la déportation du second en septembre 1942, donne naissance à un mouvement vigoureux; ou encore de *Lorraine*, né à Nancy en août 1942 grâce à l'instituteur Marcel Leroy, qui diffuse des Ardennes à la Franche-Comté. Il y a aussi des actions fulgurantes et éphémères comme les vingt numéros de *L'Arc* diffusés en zone nord à quelques centaines d'exemplaires entre octobre 1940 et janvier 1941.

En somme, quand bien même la Résistance doit sans cesse improviser face à une répression qui met régulièrement son organisation à mal, les mouvements se développent et se diversifient à partir de 1941.

La propagande-diffusion irrigue tout le pays avec des déclinaisons régionales. *La Voix du Nord et du Pas-de-Calais. Organe de résistance de la Flandre française* puise dans les fortes traditions de lutte du Nord minier et socialiste. Le numéro reproduit ci-dessous est simplement dactylographié mais il est aussi illustré de symboles qui ont tissé l'histoire du Nord et font sa fierté : l'usine, la mine, le beffroi, le moulin. *Le Cri de la Patrie* est un autre avatar de la résistance en région. Organe régional du Front national, d'obédience communiste, il s'adresse ici directement en novembre 1943 aux habitants de la Drôme et de l'Ardèche en reprenant les thématiques majeures du PCF.

CARTES PREFECTORALES

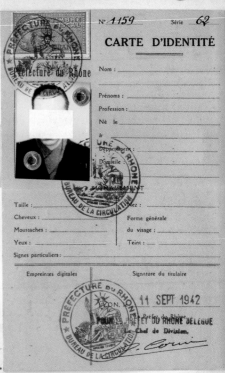

LYON

SIGNATURES de
la PREFECTURE

1941-42

1942

1943

1943-44

LYON le I4-4-42

La prefecture n'utilise
plus d'oeillets metal.
estampillés Prefect.Rhone.

Préfecture du Rhône

N° 1159   Série 62

CARTE D'IDENTITÉ

Nom : _____

Prénoms : _____

Profession : _____

Né le _____

à _____

Département : _____

Domicile : _____

SIGNALEMENT

Taille : _____   Nez : _____

Cheveux : _____   Forme générale

Moustaches : _____   du visage : _____

Yeux : _____   Teint : _____

Signes particuliers : _____

Empreintes digitales   Signature du titulaire

11 SEPT 1942

LYON,

POUR Le Préfet du Rhône
PRÉFET DU RHONE DELEGUE
Le Chef de Division.

CHANGEMENTS DE DOMICILE

Visa des Commissariats

Visé à LYON

le 9 AVR 19

ETAT FRANÇAIS

PRÉFECTURE DU RHONE

CARTE D'IDENTITÉ

VALIDATION 43

Créé dès 1940, l'atelier de *Témoignage chrétien*, monté à Lyon par Jean Stetten-Bernard, commence par forger sommairement des pièces destinées à donner le change : c'est chose relativement facile avec les cartes d'identité vendues vierges dans les papeteries pour être renseignées et visées ensuite en préfecture. Au fil du temps, face à une répression dont les résistants apprennent à connaître les techniques et les parades à lui opposer, les faussaires s'attellent à la confection de papiers capables de résister à l'épreuve de l'authentification (emprunt de noms de personnes décédées et non déclarées comme telles ; naissance située dans une commune dont les registres d'état civil ont été détruits, etc.). Les manipulations outillées de mains expertes photographiées dans l'atelier de Stetten (ci-contre) aboutissent en 1944 à produire des sortes de « kits » prêts à l'emploi. L'artisanat sommaire et astucieux a graduellement cédé la place à une activité très élaborée, aidée par nombre de complices dans l'administration. Les scrupules de conscience initiaux des apprentis faussaires ne sont plus de mise : tous les coups sont permis face à des ennemis sans foi ni loi.

Leurs membres font l'apprentissage de la vie clandestine, apprenant à ne pas dévoiler leur identité et à user de pseudonymes, se dotant de faux papiers d'identité susceptibles de donner le change, faisant circuler les messages codés qu'ils s'adressent par le biais de boîtes aux lettres que des agents de liaison relèvent, diffusant des consignes de sécurité strictes (ne rien dire de ses activités même à des proches, garder le silence aussi longtemps que possible si l'on est arrêté et menacé ou torturé, etc.). Si ces précautions n'empêchent pas les arrestations – les « chutes » en langage résistant –, elles permettent souvent d'en limiter les conséquences.

La bonne volonté ne suffisant plus, il faut aussi que les mouvements structurent leurs activités, à la fois diverses et intenses. Sous des dénominations fluctuantes, tous se dotent de services dédiés à des tâches précises dont la seule énumération montre la multiplicité de leurs domaines d'activité : la propagande-diffusion (pour rédiger, imprimer, diffuser feuilles et tracts);

le service social (pour prendre en charge les familles des camarades emprisonné(e)s, porter des colis en prison); le service des faux papiers (pour atténuer la portée des arrestations, freiner l'efficacité de la répression, protéger les individus et groupes persécutés); le service des groupes francs (pour organiser des actions spectaculaires de diffusion, mener des expéditions punitives contre les officines collaborationnistes, punir les traîtres, organiser des évasions); le secteur paramilitaire (pour constituer des réserves de combattants, assurer leur instruction), etc.

Graduellement, la toile d'araignée résistante se complexifie, atteignant parfois un haut degré d'élaboration. Ainsi, en 1942, Combat conçoit le noyautage des administrations publiques (NAP) qui constitue vite une source de renseignements de premier ordre et facilite bien des opérations. Une initiative en appelant une autre, Maurice Nègre, fonctionnaire des Affaires étrangères à Vichy, et Bernard de Chalvron, qui appartiennent à Libération-Sud, créent le Super-NAP dont la fonction est d'espionner la haute administration à Vichy et à Paris.

Les partis politiques résistants

Les partis politiques se sont-ils dissous dans la vaste nébuleuse dessinée par les mouvements où certains de leurs membres agissent? Pas exactement. Dès mars 1941, des militants socialistes créent à Nîmes

Émilienne Moreau-Évrard, militante socialiste du Nord, n'est pas la sage personne que cette photo suggère. Ayant deux fois échappé à l'arrestation en 1944, à Lyon, elle sera une des six femmes à recevoir la Croix de la Libération.

Sur ce relevé des messages attendus pour des parachutages dans le Jura (à gauche), chaque phrase correspond à un terrain homologué et est émise plusieurs fois la veille pour que les résistants balisent le terrain avec des torches.

25 JUILLET 1941   N° 27

TOUS UNIS DANS
LE FRONT NATIONAL
DE L'INDÉPENDANCE
DE LA FRANCE.

l'Université libre

Organe de la Section Universitaire du Front National pour l'Indépendance
de la France

le Front National.

Un évènement politique d'une importance capitale pour l'avenir de la France s'est produit au début de juillet: des dirigeants qualifiés des organisations ouvrières et des groupements politiques français; des mandataires autorisés des milieux paysans des diverses régions; des délégués des classes moyennes, des personnalités éminentes de l'Université, de la Science et de l'Art Français,- libre-penseurs, personnalités catholiques bien connues, membres du clergé, fidèles de l'Eglise réformée, communistes - se sont réunis quelque part en zone occupée pour fonder le FRONT NATIONAL DE LUTTE POUR L'INDÉPENDANCE DE LA FRANCE. Ils ont nommé un Comité d'organisation qui a adressé un appel au pays. L'Université Libre, certaine d'interpréter les sentiments de tous les universitaires et intellectuels français, salue avec une joie immense la naissance du FRONT NATIONAL.

Toutes les personnalités présentes à la réunion constitutive du FRONT NATIONAL de l'INDÉPENDANCE de la FRANCE ont été unanimes à considérer que la guerre nationale menée par le peuple soviétique sous l'énergique impulsion de son gouvernement ainsi que par l'Angleterre intéressent l'humanité entière et en premier lieu notre pays qui ne peut se libérer que par la défaite hitlérienne.

Tous les Français dignes de ce nom doivent être aux côtés ou [...] de tous les [...]
(Suite Page 2)

Les mots d'ordre du Front National.

Nous appelons tous les Français et Françaises à agir en commun par tous les moyens:

1° - pour empêcher que les ressources de la France servent à la machine de guerre allemande;

2° - pour empêcher les usines françaises de travailler pour HITLER, en soutenant les luttes revendicatives des ouvriers qui, en défendant leur pain et celui de leurs enfants, servent la cause de la France;

3° - pour empêcher que nos chemins de fer transportent en Allemagne nos richesses nationales et les produits de notre industrie;

4° - pour organiser la résistance des paysans à la livraison de produits aux oppresseurs de la patrie;

5° - pour organiser la lutte contre la répression hitléro-vichyssoise, chaque militant du Front National, qu'il soit athée ou croyant, radical ou communiste, devant bénéficier de la solidarité de tous;

6° - pour diffuser les écrits, appels et documents du Front National et dénoncer systématiquement les mensonges de l'ennemi, pour propager et exalter, dans les [...] et ses aides, les sentiments [...] la volonté de lutte pour [...] libres.

(Appel du Comité d'Organisation du Front National pour l'Indépendance de la [...])

Au nom des intérêts supérieurs de la patrie, Nous appelons tous les Français et Françaises à utiliser au maximum toutes les possibilités qui s'offrent à eux pour constituer des Comités du Front National; nous les appelons à travailler pour la bonne cause les réunions de famille, les réunions d'amis, les réunions culturelles, les assemblées syndicales et autres, de façon à ce que partout soit présente l'âme de la France.

(Appel du Comité d'organisation du FRONT NATIONAL pour l'INDÉPENDANCE de la FRANCE.)

Formez partout des Comités

du Front National.

le Comité d'action socialiste, le CAS. L'artisan de cette renaissance d'un parti que ses divisions ont discrédité est Daniel Mayer qui accepte que les socialistes rejoignent le mouvement de leur choix, avec une prédilection pour Libération-Sud. En zone nord, un même processus est mis en œuvre par Henri Ribière. Léon Blum ayant transformé le procès dans lequel il comparaît à Riom à partir de février 1942 en tribune politique, ses partisans reprennent du poil de la bête, ce dont témoigne la reparution en mai 1942 du *Populaire, organe central du Parti socialiste (SFIO)*. Toutefois, la présence nombreuse et active de militants socialistes dans les

La feuille clandestine *L'Université libre* est créée en réaction à l'arrestation et à l'incarcération à la prison de la Santé, fin octobre 1940, de Paul Langevin, professeur au Collège de France et physicien de renommée mondiale, grande figure du Comité de vigilance des intellectuels antifascistes. Jacques Solomon, gendre de Paul Langevin, le philosophe Georges Politzer et Jacques Decour, intellectuels communistes « insoumis-orthodoxes », selon l'expression de l'historienne Anne Simonin, font paraître en novembre le premier numéro de cette publication destinée à un lectorat d'intellectuels, soit quatre feuillets ronéotypés sur une machine de fortune, tirée à mille exemplaires. Le 1er juillet 1941, *L'Université libre* devient l'« organe de la section universitaire du Front national pour l'indépendance de la France » (ci-contre). C'est dire que le journal entend s'adresser très au-delà du cercle des militants communistes en application de la stratégie d'ouverture voulue par le PCF. En février 1942, Georges Politzer et Jacques Decour sont arrêtés. Début mars, c'est au tour de Jacques Solomon de l'être par les brigades spéciales. Ils sont fusillés en mai au mont Valérien.

rangs des mouvements a pour effet de minorer dans les esprits la réalité de la résistance de leur parti. Tout autre est la position du parti communiste français (PCF). Entré dans la guerre avec le handicap considérable du pacte conclu entre l'Union soviétique et l'Allemagne nazie le 23 août 1939, qui l'amène à considérer le conflit comme une lutte entre puissances capitalistes qu'il convient de renvoyer dos à dos, poussant cette logique jusqu'à demander en juillet 1940 à l'occupant l'autorisation officielle de faire reparaître *L'Humanité*, le PCF adopte une ligne difficile à caractériser clairement. Très hostile à Vichy, développant une propagande anti-allemande réelle mais limitée, laissant certains de ses intellectuels – Jacques Decour, Georges Politzer, Jacques Solomon – créer en novembre 1940 la revue clandestine *L'Université libre*, puis *La Pensée libre* en février 1941, il ne met pas l'accent sur la lutte patriotique non plus qu'antifasciste. En mai 1941, le PCF publie un appel à un « Front national de lutte pour la liberté et l'indépendance de la France ». Mais le saut décisif est lié à l'invasion de l'URSS par l'Allemagne nazie le 21 juin 1941. Dès lors, c'est bien le parti en tant que tel, et non des militants qui en sont issus et qui sont nombreux à agir à titre individuel, qui entre en résistance.

Cette entrée est spectaculaire dans la mesure où le PCF met en œuvre la lutte armée en s'appuyant sur des militants extrêmement déterminés, membres de l'Organisation spéciale, des Jeunesses communistes sous le nom de Bataillons de la

Daniel Mayer (à gauche) est pur produit du militantisme du parti socialiste auquel il a adhéré à 18 ans. Cet autodidacte, nanti du seul certificat d'études primaires, est un journaliste talentueux proche de Léon Blum. Il fonde le Comité d'action socialiste en zone sud fin mars 1941 et est l'artisan de la reparution du *Populaire* clandestin le 15 mai 1942.

En riposte aux affiches de l'occupant annonçant les exécutions capitales de résistants, le PCF publie fin 1941 ce tract en forme de faire-part. Gabriel Péri, dirigeant du parti, devient un héros de la mémoire communiste.

jeunesse, et de la main-d'œuvre immigrée (MOI). En 1942, il rassemble les militants de la lutte armée dans les Francs-Tireurs et Partisans (FTP). L'option de la lutte armée coûte cher au parti et à ses militants, elle l'isole aussi un temps des autres composantes de la Résistance qui se méfient de surcroît des intentions unitaires qu'il manifeste en tentant de promouvoir le Front national comme structure de ralliement. Cela ne l'empêche pas de tirer un grand prestige de son engagement dans la Résistance. La détermination, la discipline, l'esprit de sacrifice de ses militants forcent le respect de leurs camarades résistants.

Le PCF s'impose aussi par un rayonnement intellectuel que manifeste bien le mensuel *Les Lettres françaises* dont le premier numéro paraît en septembre 1942 sans que son principal concepteur Jacques Decour puisse en être témoin puisque, arrêté en février, il a été fusillé en mai au mont Valérien. Enfin, le PCF tire bénéfice de la complémentarité d'un dispositif tressant un maillage serré : autour du cœur partisan, une organisation militaire (les FTP) et une organisation civile de masse (le Front national).

Daniel Decourdemanche, Jacques Decour de son nom de plume, est un acteur majeur de la résistance intellectuelle communiste. Cet agrégé d'allemand, romancier, essayiste et traducteur de Goethe, crée *Les Lettres françaises* avec Jean Paulhan. Dans la lettre qu'il écrit à ses parents avant d'être fusillé le 30 mai 1942, il dit se considérer « un peu comme une feuille qui tombe de l'arbre pour faire du terreau. La qualité du terreau dépendra de celle des feuilles. Je veux parler de la jeunesse française, en qui je mets tout mon espoir ».

Les réseaux

Mouvements, syndicats, partis n'épuisent pas le paysage résistant. À côté de ces acteurs majeurs, il en est d'autres qui jouent un rôle primordial : ce sont les réseaux. Tout de suite sur la brèche, ils constituent un sous-continent clandestin dans l'univers de la clandestinité.

Qu'est-ce donc qu'un réseau ? Et en quoi les entités qu'on désigne sous ce vocable se distinguent-elles des mouvements ? La réponse à ces questions est apparemment simple. Un réseau est un organisme militaire auquel sont assignés des objectifs précis et souvent spécialisés : monter des filières d'évasion de prisonniers de guerre ou de rapatriement d'aviateurs de la Royal Air Force tombés sur le sol français ; collecter des

Ci-contre, le numéro 6 des *Lettres françaises* d'avril 1943. À côté de l'éditorial « Sauver notre jeunesse », vigoureuse réaction contre le Service du travail obligatoire institué en février, la « chanson du franc-tireur » est due à la plume autorisée et prestigieuse de Louis Aragon. En ce printemps 1943, *Les Lettres françaises* font plus que tenir le pari tenté par leurs fondateurs. En dépit ou à cause de leur caractère clandestin, elles sont en passe de devenir une sorte d'institution culturelle et dominent le paysage des revues souterraines. Cette fulgurante montée en puissance et en reconnaissance se déchiffre dans la mention portée sous le titre : « Fondateur Jacques Decour ». C'est entretenir, bien sûr, le souvenir d'un précurseur mais aussi inscrire l'histoire pourtant courte de la publication dans une mémoire déjà longue. Le temps dense et intense de la clandestinité n'était décidément pas celui des périodes paisibles. Avec un peu moins d'une année d'existence, la revue est déjà une référence. Cela compte dans la lutte acharnée que l'État français – et les publications qu'il contrôle et encourage – et la Résistance se livrent dans tous les domaines, y compris culturel.

renseignements ; faire des opérations de sabotage sur des cibles bien définies. Quelle que soit leur activité principale, ces réseaux dépendent de services secrets, qu'il s'agisse du Royaume-Uni, de la France Libre, des États-Unis, de l'URSS, etc. Certains de ces réseaux s'appuient sur le travail effectué de longue date avant la guerre par des services secrets étrangers. Tel est le cas pour l'Intelligence Service britannique, par exemple. D'autres sont des créations de toutes pièces dans le contexte radicalement nouveau créé par la défaite française de 1940. Le « service de renseignements » de la France Libre mis sur pied par le colonel Passy relève de ce cas de figure. Bientôt dénommé « Bureau central de renseignements et d'action » (BCRA),

il a recours à des volontaires de la France Libre qui ne sont pas des professionnels mais qui sont formés aux techniques de la clandestinité et qui peuvent tirer profit de leur connaissance intime du terrain qu'ils travaillent. Gilbert Renault, plus connu sous le nom de « colonel Rémy », chef de la Confrérie Notre-Dame, ou Honoré d'Estienne d'Orves représentent bien ce type d'agents. Si le second fut arrêté tout de suite sur trahison, le premier développa une organisation qui fut une précieuse source de renseignements de la fin 1940 à la mi-novembre 1943, date de son démantèlement.

Parmi les réseaux britanniques figurent Pat O'Leary, une filière d'évasion improvisée en décembre 1940 par l'officier écossais Ian Garrow, prisonnier évadé, qui aurait réussi à évacuer six cents aviateurs et soldats alliés; Jade-Fitzroy, affilié au MI6, créé en décembre 1940 par un jeune adhérent de 22 ans de l'Action française, Claude Lamirault, bientôt secondé par Pierre Hentic,

Sur la photo ci-dessus, assis au centre, le général Koenig, rallié à de Gaulle dès le 21 juin 1940 alors qu'il n'était que capitaine, auréolé depuis du prestige des batailles de Bir Hakeim et El Alamein. À droite de Koenig, les yeux sur la carte, André Dewavrin, alias Passy, créateur et chef du service de renseignements de la France Libre, « l'un des quatre ou cinq hommes sans qui, aux côtés du général de Gaulle, la France Libre n'aurait pas été ce qu'elle fut », selon Jean-Louis Crémieux-Brilhac, acteur et historien de ces événements.

militant des Jeunesses communistes, dont le domaine de prédilection est la recherche de renseignements militaires ; Alliance, à vocation principalement militaire, numériquement le plus important des réseaux de l'Intelligence Service avec quelque trois mille membres au total, porté sur les fonts baptismaux en avril 1941 par le commandant Georges Loustaunau-Lacau, héros de la guerre de 1914, anticommuniste patenté, fervent soutien du maréchal Pétain avant de prendre ses distances, relayé, après son arrestation en juillet 1941, par Marie-Madeleine Méric et le commandant Faye.

Bien d'autres réseaux pourraient être cités puisque, après la Libération, ce ne sont pas moins de deux cent soixante-six réseaux qui furent homologués dont une trentaine avait été mise sur pied en 1940, la majorité étant installée entre 1941 et 1942. En dehors de ceux qui viennent d'être évoqués, il faut mentionner l'Orchestre rouge, affilié aux services soviétiques, dirigé par Leopold Trepper, opérationnel dès 1940 et démantelé à la fin de l'année 1942. Moins médiatisé, le réseau belge Comète, fondé dans l'été 1940 par une jeune femme de 25 ans, Andrée De Jongh, et lié à l'Intelligence Service, fit passer en Espagne deux cent quatre-vingt-huit militaires alliés grâce au concours de quelque deux mille personnes. Arrêtée en janvier 1943, Andrée De Jongh avait traversé les Pyrénées trente-cinq fois en seize mois !

Une place particulière doit être faite au Special Operations Executive (SOE), bâti en juillet 1940 sur ordre de Churchill avec pour mission de « mettre le feu à l'Europe » en développant subversion et sabotage dans les territoires occupés par les nazis.

Polytechnicien, officier de marine, Honoré d'Estienne d'Orves décide de rejoindre de Gaulle dès l'été 1940. Il veut être envoyé en France pour contacter la Résistance balbutiante. Débarqué en Bretagne le 22 décembre 1940, trahi par son technicien radio, il est arrêté le 21 janvier 1941. À la prison du Cherche-Midi où il est connu sous son pseudonyme de Jean-

Pierre, cet homme dont le cinquième enfant naît pendant sa détention force l'admiration de ses codétenu(e)s par sa sérénité et sa foi. Il est fusillé le 29 août 1941 au mont Valérien.

Ses agents, qui opèrent en France sous les ordres du major Buckmaster, recrutent des Français sans toujours éprouver le besoin de leur préciser pour qui ils travailleront, parfois en cultivant l'équivoque… Mais il arrive aussi que soient liés au SOE en toute connaissance de cause des Français qui n'ont pas la fibre gaulliste comme le peintre André Girard, créateur et chef du réseau Carte, actif jusqu'à la fin de 1942.

À dater de 1942, les relations établies entre la France Libre et les mouvements de la résistance intérieure permettent de monter des réseaux de renseignement grâce aux membres desdits mouvements. Cohors, Phalanx, Centurie, Manipule, Gallia sont créés de cette façon. Ce qui conduit à relativiser la pertinence de la coupure théorique – ou souhaitable – entre réseaux et mouvements. Beaucoup de résistants des mouvements œuvraient simultanément au sein de réseaux. Parmi leurs chefs, on trouve des responsables de mouvements, tels Christian Pineau, qui dirigea Phalanx, et le philosophe Jean Cavaillès, qui mit effectivement et dangereusement la main à la pâte en tant que chef de Cohors. Son action de chef de réseau, comme celle de Christian Pineau, avait été placée sous le signe d'une coopération étroite avec les services secrets de la France Libre.

Pour comprendre comment une telle coopération avait pu se développer, il faut revenir aux conditions dans lesquelles une jonction durable, et en quelque sorte institutionnelle, s'était opérée entre la résistance intérieure et le mouvement du général de Gaulle.

En octobre 1941, Jean Moulin arrive à Londres en provenance de Lisbonne. Déclaré célibataire sans profession, il est enregistré sous le nom de Joseph Mercier. Les lunettes qu'il porte pour la photo d'identité (ci-dessus) sont partie intégrante de sa couverture, réalisée dès sa révocation de son poste de préfet.

La mission « Rex »

Cette jonction eut Jean Moulin pour artisan principal. Révoqué en novembre 1940 par Vichy, l'ex-préfet a sillonné la zone sud pour glaner des informations sur la Résistance en train d'éclore.

Puis, en septembre 1941, muni d'une fausse identité et d'un vrai visa, il a gagné Lisbonne, puis Londres où il a remis au général de Gaulle un rapport assez précis sur l'état de la Résistance en zone sud. Il s'est vu confier la mission de coordonner l'action des mouvements de zone sud.

Parachuté le 1er janvier 1942, Jean Moulin (alias Rex) doit

Prise sur le front pendant la campagne de France, cette photo montre l'officier Jean Cavaillès, au premier plan à droite, avec ses hommes. N'acceptant pas la défaite, moins encore l'armistice, cet homme souriant est, dès 1940, un pionnier de la Résistance. Tout en continuant son travail d'universitaire, il mène une activité clandestine qui lui vaudra d'être arrêté en août 1943 et fusillé en janvier 1944. À gauche, la frêle Odette Sansom, membre de la section F du SOE, sera arrêtée en avril 1943 et survivra à sa déportation à Ravensbrück.

composer avec une situation extrêmement difficile. D'abord parce que le régime de Vichy veille au grain avec un appareil policier et judiciaire efficace : les règles de la clandestinité doivent donc être scrupuleusement respectées. Il en résulte que les indispensables réunions entre Jean Moulin et les chefs des mouvements de zone sud (Frenay, Lévy et d'Astier) ne sont pas si faciles à organiser. La tension qui accompagne leurs préparatifs, les précautions à observer ne créent pas un climat serein. Les discussions, souvent vives parce que les questions dont on traite sont essentielles, se mènent sur cet arrière-fond inquiétant. Ensuite, les chefs de Combat, Franc-Tireur et Libération-Sud se méfient de ce qu'ils ressentent comme une intrusion de la France Libre dans un territoire qui, en quelque sorte, est le leur. Les mouvements qu'ils dirigent représentent l'aboutissement de longs et pénibles efforts et, déjà, de lourds sacrifices. Ils entendent bien avoir voix au chapitre et s'insurgent contre le magistère que le général de Gaulle, par le truchement de son émissaire, leur semble vouloir exercer. Au surplus, ils voudraient que le général de Gaulle précise sa position dans la perspective de la libération à venir, qu'il donne des gages quant

Mai 1942, *Libération* de zone sud publie la photo de l'homme dont on connaît la voix mais pas le visage : de Gaulle. Cette publication est accompagnée d'un titre sans ambiguïté : « Voici notre chef… »

au respect de la démocratie à rétablir et à son attachement aux valeurs de la République. C'est chose faite à l'occasion du voyage que Christian Pineau effectue à Londres en février 1942 d'où il revient porteur d'un manifeste qui lève leurs doutes.

Ferme, habile négociateur, Jean Moulin obtient des mouvements, qui dépendent de la manne financière qu'il leur distribue, que leurs feuilles clandestines reconnaissent le général de Gaulle comme le chef de la Résistance. Parallèlement, il monte, dans le cadre de la délégation générale de la France Libre qu'il dirige, des services destinés à épauler et à renforcer leur action dont le fonctionnement est assuré par des membres issus des trois mouvements. En avril 1942, il crée une sorte d'agence de presse, le Bureau d'information et de presse, qui rassemble des informations utiles à la presse clandestine comme à la propagande de la France Libre. En juillet, il institue le Comité général d'études qui regroupe des experts appelés à réfléchir aux réformes à mettre en œuvre après la libération. En novembre, il met sur pied un organisme essentiel pour assurer le lien vital entre la France et la Grande-Bretagne, le Service des opérations aériennes et maritimes qui regroupe les équipes chargées des parachutages, atterrissages ou débarquements sur la côte méditerranéenne. Cet effort de structuration rapproche de fait les deux composantes d'une Résistance qui s'unifie graduellement en même temps qu'il accroît singulièrement leur efficacité.

Georges Bidault dirige le Bureau d'information et de presse, d'où son pseudonyme de BIP. Cet intellectuel démocrate-chrétien a commencé son action résistante au sein du mouvement Combat. En excellents termes avec Jean Moulin, dont il apprécie le courage et l'efficacité, il lui succède comme président du Conseil national de la Résistance (CNR) et descend à ce titre les Champs-Élysées le 26 août 1944 au côté du général de Gaulle.

L'union n'en reste pas moins un combat et, pour finaliser les discussions menées depuis neuf mois, Moulin programme un séjour à Londres avec les trois chefs de mouvements. En raison des aléas des liaisons clandestines, seuls Emmanuel d'Astier et Henri Frenay partent pour Londres en septembre. Ils reviennent en novembre porteurs de la décision de créer un comité de coordination entre les trois principaux mouvements de zone sud. C'est un pas décisif qui a été précédé de peu par la décision de fondre leurs effectifs paramilitaires dans une structure commune, l'Armée secrète (AS), dont

La carte ci-dessous émane de la France Combattante. Répertorier les comités qui apportent en 1942 leur soutien à l'action du général de Gaulle dans le monde, c'est affirmer sa légitimité contre le gouvernement de Vichy avec lequel bon nombre de pays entretiennent des relations diplomatiques en bonne et due forme.

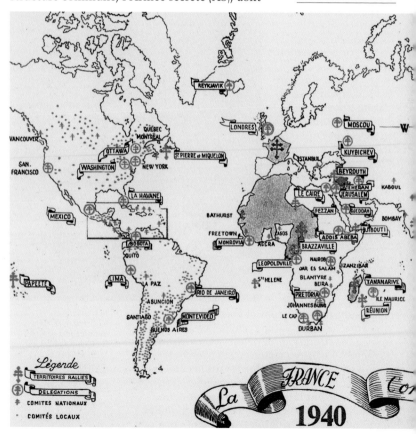

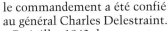

ORGANE DES MOUVEMENTS DE RÉSISTANCE UNIS - Édition zone SUD 1 juillet 1943

30

LIBÉRATION

« Quels que soient les événements, je serai toujours là. »

PÉTAIN

n seul chef : DE GAULLE ; une seule lutte : POUR NOS LIBERTÉS

Comptez-vous également, Père Ubu, garder vos dix-huit millions de traitement annuel ?

re seul but est de rendre la parole au peuple Français » DE GAULLE

18 JUIN 1940 -- 3 JUIN 1943

VIVE L'UNION POUR LA LIBÉRATION!

le commandement a été confié au général Charles Delestraint.

En juillet 1942, la rencontre des deux Résistances a été symboliquement officialisée par le changement de la dénomination de la France Libre qui devient la France Combattante.

Financés par Londres, aidés par ses services, de moins en moins isolés au fur et à mesure qu'ils démontrent leur influence et que les interrogations se font jour dans l'opinion sur la réalité de Vichy, les mouvements sont désormais des acteurs de premier plan de la lutte en cours. Fin janvier 1943, les trois grands mouvements de zone sud décident de fusionner dans les Mouvements unis de la Résistance (MUR). C'est bien le signe que le processus engagé depuis un an vient à bout des réticences les plus fortes et que l'aspiration à l'unité est vive chez ceux qui, à tous niveaux, soutiennent la Résistance.

Reste à étendre le processus à la zone nord mais aussi à y intégrer ces autres forces que sont les syndicats et les partis résistants. C'est tout l'enjeu des mois à venir.

Martelant dans son numéro 30 de juillet 1943 que la Résistance est née de l'initiative d'une « poignée d'hommes », *Libération* de zone sud décrit le chemin parcouru en trois ans. « Organe des mouvements de résistance unis », qui résultent de la fusion décidée par les trois principaux groupements de la Résistance non communiste de zone sud, il prend vigoureusement le parti du général de Gaulle contre le général Giraud. Le choix des dates est parlant : lier le 18 juin 1940 et le 3 juin 1943 – jour de la mise en place du Comité français de la libération nationale à Alger dirigé conjointement par de Gaulle et Giraud –, cela revient à affirmer que la seule légitimité qui vaille pour symboliser la Résistance et la guider est assise sur l'antériorité dans la lutte des résistants de l'intérieur comme de De Gaulle

Ce tirage en couleurs de format 14 x 9,5 cm, parachuté en 1943 par la France Combattante, représente sur fond de drapeau tricolore les journaux des trois grands mouvements de la résistance non communiste de zone sud. Le titre de l'éditorial du numéro 17 du 25 août 1942 de *Libération* n'est pas mis en avant par hasard : la France Combattante, qui s'est substituée à l'appellation de « France Libre », atteste que les mouvements de zone sud ont opéré leur jonction avec de Gaulle dont une phrase – « Refaire l'unité nationale est le premier de nos buts » – figure en exergue de ce même numéro. La composition est recherchée, et le message limpide : il faut résister en prenant appui sur les fleurons de l'action clandestine que sont les feuilles des mouvements.

Assez étonnamment pour qui sait la force des antagonismes minant la société française d'avant-guerre, les diverses composantes de la Résistance scellent leur unification dans le courant de l'année 1943. Minoritaire tout au long des années noires, la Résistance ne reste pas pour autant marginale ; elle conquiert au sein du corps social une légitimité dont le régime de Vichy ne peut plus se prévaloir.

CHAPITRE 3

LA RÉSISTANCE LÉGITIMÉE (1943-1944)

Ces hommes du maquis de l'Ain sourient à l'objectif. En civil, avec un armement hétéroclite, ils ont quelque chose de débonnaire qu'illustre la tête de mort rondouillarde dessinée à la craie au centre de la photo. Ci-contre, un brassard très unitaire de 1944.

À dater de 1943, les composantes civiles et militaires de la Résistance française s'unifient dans la perspective d'une libération que ses dirigeants croient proche grâce à un débarquement imminent. Désormais indissociables, même si des tensions demeurent entre elles, la France Libre et la Résistance intérieure se préparent intensément à la libération. Elles doivent de pouvoir le faire dans des conditions inespérées à l'action décisive de Jean Moulin en même temps qu'au mûrissement des hommes et des structures résistantes et à l'emprise de plus en plus forte de la Résistance sur les mentalités. Cette dynamique doit affronter la répression menée par le régime de Vichy et l'occupant qui n'a jamais été aussi féroce et dévastatrice. « Les jours heureux » – titre de la brochure exposant le programme du Conseil national de la Résistance adopté le 15 mars 1944 – sont aussi des jours sombres. Le principal atout d'une Résistance qui va se battre à ciel ouvert à partir des débarquements du 6 juin en Normandie et du 15 août en Provence est l'ascendant moral qu'elle exerce, au moment de ces combats décisifs, sur la société française.

À la croisée des chemins

Au début de l'année 1943, bien des inconnues pèsent sur le sort de la Résistance, tant extérieure qu'intérieure. Lors du débarquement allié en novembre 1942, l'amiral Darlan, qui a présidé quatorze mois un gouvernement de collaboration en parfaite harmonie avec Philippe Pétain, a vu son autorité proclamée par les Américains sur l'Afrique du Nord. Lorsqu'il est assassiné le 24 décembre, ces derniers lui trouvent un successeur en la personne du général Giraud, qui jouit d'un grand prestige pour s'être évadé d'Allemagne en avril 1942 mais qui a fait allégeance à Pétain et qui maintient la législation de Vichy en vigueur. Le général de Gaulle n'a donc plus face à lui pour seul

Ci-dessous, les deux protagonistes majeurs de la scène algéroise conversent en novembre 1942 lors d'une cérémonie célébrant les soldats tombés au cours du débarquement des forces alliées en Afrique du Nord.

À gauche, l'amiral Darlan, qui a la confiance des Alliés malgré son soutien à Philippe Pétain. Son interlocuteur est le général Giraud, moins marqué politiquement et idéologiquement, même s'il ne fait pas mystère de son allégeance à l'État français. La partie semble se jouer sans le général de Gaulle, tenu à l'écart des préparatifs et du déroulement du Débarquement et dont l'étoile paraît alors singulièrement pâlir.

adversaire le régime de Vichy : il est censé composer et s'entendre avec Giraud, promu commandant en chef civil et militaire en Afrique du Nord. Du fait même de l'attitude des Alliés, la Résistance extérieure a désormais officiellement deux têtes. L'unification d'une Résistance intérieure qui reconnaîtrait de Gaulle comme chef devient dans ces conditions une question essentielle.

Le 14 janvier 1943, à Casablanca, Giraud et de Gaulle échangent une poignée de main. Roosevelt est tout sourire. On devine Churchill satisfait. En réalité, la lutte entre les deux généraux rivaux sera sans merci.

La deuxième mission de Jean Moulin et ses écueils

C'est dans ce contexte que Jean Moulin séjourne à Londres du 14 février au 19 mars 1943. Il en revient président du comité directeur des MUR, délégué en France du général de Gaulle et commissaire national en mission. Son autorité s'étend désormais à toute la France et il a mission de créer un Conseil de la Résistance unissant les différentes composantes de la lutte clandestine. Ce cumul des titres et des responsabilités lui donne, dans le jeu des rapports de force clandestins, une suprématie qui irrite des chefs de mouvement qui ont l'impression que, par Moulin interposé, le chef de la France Combattante rafle la mise d'une action qu'ils ont développée pendant les dix-huit premiers mois indépendamment de Londres.

La Jeunesse

le Rassemble

À Romans-sur-Isère dans la Drôme, le 10 mars 1943, des manifestants obstruent la voie ferrée pour empêcher le départ en train des requis du STO. Le face-à-face avec les forces répressives est signe d'un mécontentement croissant.

ançaise répond :   Merde

nt du Peuple | SABOTEZ LA CONSCRIPTION
des esclaves au service d'Hitler

Ce facteur de tension est avivé par les événements survenus en l'absence de Moulin. La loi du 16 février 1943 sur le service du travail obligatoire (STO) et ses conséquences immédiates – à savoir la nécessité d'encadrer sans délai les jeunes réfractaires qui prennent le maquis – créent un climat d'impatience fébrile qui pousse les responsables de la Résistance intérieure à réclamer à cor et à cri des mesures immédiates. La question prend une acuité d'autant plus vive que le budget alloué au mois de mars aux mouvements ne tient pas compte des exigences qu'ils ont formulées. Cette insuffisance vient souligner fortement le pouvoir que donne à Moulin le contrôle des services qu'il a créés en 1942.

La bataille fait rage à propos du STO entre la Résistance qui, à l'image de *Libération* du 1er mars 1943, répond vertement « Merde », et la propagande allemande qui, sur fond rouge

ILS DONNENT LEUR SANG

DONNEZ VOTRE TRAVAIL
pour sauver l'Europe du Bolchevisme

Une unification menée tambour battant

Cela n'empêche nullement le travail d'unification de la Résistance de se poursuivre et même de s'accélérer significativement. C'est d'autant plus notable que la tâche est immense. Quand s'ouvre l'année 1943, en zone nord, aucune liaison organique n'existe entre les mouvements de zone nord et Londres, ni entre les mouvements. De Gaulle y envoie deux émissaires de forte stature : le colonel Passy, chef du BCRA, et Pierre Brossolette, pionnier de la Résistance en zone occupée et numéro 2 du BCRA. Leur mission

sang, distille son message : ne pas partir en Allemagne, c'est abandonner lâchement ceux qui luttent contre le bolchevisme.

consiste à dresser un inventaire précis de la Résistance de zone nord et à créer un état-major de l'AS. Ils mènent cette mission pendant le séjour de Moulin à Londres.

À son retour, fin mars, Moulin travaille à placer les multiples composantes de la Résistance intérieure sous la férule de la France Libre en créant le Conseil de la Résistance. Affaire capitale, ce dernier point exige l'accord des mouvements des deux zones. Le principal obstacle qu'il rencontre est l'action qu'a menée Pierre Brossolette qui a fait office, deux mois durant, de délégué de zone nord et choisi d'ignorer les instructions reçues de Londres fin février en y créant un comité de coordination des mouvements. Moulin, qui estime que les initiatives de Brossolette compliquent sa tâche, obtient son rappel à Londres.

Moulin brûle alors les étapes puisque le Conseil de la Résistance se réunit de façon plénière le 27 mai, en plein Paris, au nez et à la barbe de l'occupant, 48, rue du Four dans le VIᵉ arrondissement. Y siègent seize représentants : huit pour les mouvements des deux zones, six pour les partis, deux pour les syndicats. Cette réussite donne au général de Gaulle, à un moment crucial, la légitimité dont il avait besoin.

Pierre Brossolette rend hommage, pour le troisième anniversaire du 18 juin 1940, à l'Albert Hall de Londres, aux morts de la France Combattante : « [...] ce qu'ils nous demandent ce n'est pas de les plaindre, mais de les continuer. Ce qu'ils attendent de nous, ce n'est pas un regret, mais un serment. Ce n'est pas un sanglot, mais un élan ».

La réunion du Conseil de la Résistance – qui prendra le qualificatif de « national » à l'automne (CNR) – où est votée une motion par laquelle la Résistance unifiée représentative de l'ensemble du paysage politique et syndical reconnaît le général de Gaulle pour seul chef légitime a, en effet, précédé de trois jours l'arrivée à Alger de ce dernier, après des mois d'âpres négociations avec Giraud. Le 3 juin, le Comité français de la libération nationale est créé avec une direction bicéphale des généraux de Gaulle et Giraud. Dans le bras de fer que se livrent les deux hommes, l'appui de la Résistance intérieure unifiée est déterminant et explique, pour une large part, la défaite de Giraud qui est relégué, le 9 novembre, à la position de commandant en chef sans responsabilités politiques.

Moins d'un mois après la première réunion du CNR, le 21 juin 1943, Jean Moulin est arrêté à Caluire, dans la périphérie de Lyon, lors d'une réunion où devaient être discutées les mesures à prendre à la suite de l'arrestation du général Delestraint. C'est un rude coup pour la Résistance. L'intérim de Moulin est exercé par Claude

Cette photographie anthropométrique allemande de l'automne 1943 n'est pas celle d'un délinquant mais celle du général

Bouchinet-Serreulles, alias Sophie, arrivé en France le 16 juin, qui s'emploie à renouer les fils, ce qui lui est d'autant plus difficile qu'il reste plusieurs semaines sans directives de Londres. Moulin disparu, les fonctions de président du CNR et de délégué général sont disjointes : à Georges Bidault, la présidence du CNR ; à Émile Bollaert, Jacques Bingen, puis Alexandre Parodi, la fonction de délégué général.

Delestraint, chef de l'AS, assassiné à Dachau le 19 avril 1945. De Gaulle, photographié ici avec Claude Bouchinet-Serreulles, le fera compagnon de la Libération.

L'unité malgré tout

Reste l'essentiel qu'il faut affirmer avec force : les difficultés qui viennent d'être relatées montrent du même coup l'importance de l'œuvre accomplie dans des conditions de péril extrême : c'est, à dater de 1943, que la poussière d'initiatives nées en 1940 et 1941 finit par devenir ce qu'on appela dès lors « la Résistance ». Et cette donnée-là ne pèse pas peu dans l'image et le rôle que la France a au moment de la Libération, puis de la Victoire.

Cette unification mérite d'autant plus d'être mise en exergue qu'elle fut, d'un bout à l'autre, un combat. Les mouvements de résistance réprouvaient que soient remis en selle des partis qui avaient, selon eux, démérité. Les partis réfutaient l'idée que les mouvements, créations du temps de la clandestinité, sans traditions ni doctrines fermes, puissent faire œuvre utile dans la France libérée.

Tous ces acteurs étaient, par ailleurs, loin de soutenir inconditionnellement le général de Gaulle et l'action de ses émissaires en France. Un mouvement aussi important que Défense de la France, qui soutient Pétain jusqu'en novembre

Le 47e et dernier numéro clandestin de *Défense de la France*, daté d'août 1944, soutient sans réserve l'action du général de Gaulle. « Organe du Mouvement de Libération Nationale », qui réunit les MUR et des mouvements de zone nord, *Défense de la France*, qui arbore la croix de Lorraine en titre, met en garde les États-Unis contre toute défiance à l'endroit du chef du gouvernement provisoire de la République française : « Tous les arguments ne tiennent pas devant ce fait que la légitimité française, ce sont les Français qui la font et qu'aucun chef de gouvernement, depuis vingt-cinq ans, n'a eu comme de Gaulle, aujourd'hui, la masse de la nation derrière

✝ LA DÉFENSE
DE LA FRANCE

4e ANNÉE
N° 47
AOUT 1944
Edition de Paris

Organe du Mouvement de Libération Nationa
Fondé le 14 juillet 1941

1942, ne se rallie pas à de Gaulle avant le mois de mars 1943, et il le fait sans enthousiasme excessif.

Il faut encore ajouter que le débat qui oppose les activistes, partisans de l'action immédiate, aux attentistes qui redoutent les effets d'une action trop précoce est vif et que le clivage entre communistes et anticommunistes est profond dans les rangs de la Résistance. La stratégie de rassemblement habilement mise en œuvre par le Front national, officiellement sans lien organique avec le PCF,

lui. » Cette adhésion d'un mouvement réservé vis-à-vis de De Gaulle jusqu'en mars 1943 dit la force de la dynamique unitaire et gaulliste.

FRANÇAIS
IL NE SUFFIT PAS DE
SOUHAITER LA VICTOIRE
DE L'ANGLETERRE
ET DE L'U.R.S.S.
IL FAUT QUE VOUS Y
PARTICIPIEZ
ACTIVEMENT

Cette affichette fait main, probablement œuvre de la Jeunesse communiste, frappe par sa simplicité graphique et son allure artisanale. Elle souligne un thème récurrent de la propagande déployée par toute la Résistance : la nécessité d'agir effectivement. Face aux dangers de toutes sortes qui guettent les résistants, la tentation est forte de ne pas passer à l'action tout en n'en pensant pas moins. Or, résister, c'est s'engager. L'historien François Marcot insiste sur le fait que l'idée de résistance est inséparable de l'action, que l'on n'est pas résistant, mais que l'on fait de la résistance. Résister, c'est aussi pratiquer une transgression en rupture nette avec le légalisme et l'obéissance, tenus pour des vertus cardinales sous la IIIᵉ République. Le message de cette affichette touche donc un point sensible en prenant pour cibles l'attentisme et la peur. On notera que, pour lever l'accusation de politisation, il met sciemment sur un même plan l'Angleterre et l'URSS. Cela montre aussi que l'anglophobie et l'antibolchevisme, développés jour après jour par les propagandes de Vichy et de l'occupant, doivent être contrebattus par la résistance.

inquiète beaucoup de résistants. De même, la présence de militants issus de la mouvance communiste à des postes de responsabilité dans les rangs de mouvements de résistance, puis dans les organes de direction de la Résistance unifiée ne laisse pas d'inquiéter. Quel est le rôle exact de ces militants qualifiés de « sous-marins » ? Ne s'agit-il pas de noyauter en sous-main dans l'hypothèse d'une prise du pouvoir à la Libération ?

À distance, ces craintes paraissent infondées. Lesdits sous-marins, tout en étant parfois en lien avec le parti communiste, mènent une action défendant les mouvements dont ils sont membres. Il n'en demeure pas moins que les craintes qui se firent jour, considérablement amplifiées par

la rumeur qui enflait facilement dans la caisse de résonance d'un monde clandestin où l'information était distillée au compte-gouttes, attestent que l'unité n'était pas un long fleuve tranquille. L'évolution constatée en France est d'autant plus

Présentation martiale pour ce condensé de doctrine du Service d'ordre légionnaire, rebaptisé Milice début 1943.

remarquable que les résistances européennes, selon des modalités diverses, ne suivirent pas ce même chemin. Or, de la réalisation d'une unité effective dépendait le risque d'une guerre civile.

L'épouvantail Vichy et la répression des forces d'occupation

Il se peut que le processus d'unification ait bénéficié de la radicalisation du régime de Vichy, manifeste à dater de l'occupation par les Allemands de la zone sud le 11 novembre 1942. L'État français, que beaucoup créditaient de pratiquer double jeu avec le vainqueur, perd instantanément les atouts en sa possession : l'Empire rallié, la flotte sabordée, la zone sud occupée. Son absence de réaction face à ce qui est une violation caractérisée de la convention d'armistice plaide tragiquement en sa défaveur. C'est, pour reprendre l'expression de Robert Paxton, un « État français vassalisé » qui obéit désormais aux injonctions de tous ordres de l'occupant : frais d'entretien des troupes d'occupation en hausse ; livraisons croissantes de denrées agricoles et de produits industriels ; surtout, exigence de main-d'œuvre qui aboutit à la loi du service du travail obligatoire du 16 février 1943.

Parallèlement, le Vichy moralisateur et d'apparence débonnaire des premiers temps cède la place à un régime de plus en plus violemment répressif. La création de la Milice, le 30 janvier 1943, présidée par Pierre Laval, dirigée par Joseph Darnand, apporte publiquement la preuve que tous les coups (vols, arrestations arbitraires, tortures, assassinats) sont désormais permis. Et officiellement, impunément permis. La Milice

Ci-dessous, cérémonie de prestation de serment de la Milice à Paris le 1er juillet 1944. Si elle rend les honneurs dans les cérémonies officielles, cette organisation paramilitaire, dont des dirigeants occupent les plus hauts postes de l'appareil d'État, est rejetée par l'opinion. L'exécution par la Résistance du milicien Philippe Henriot, secrétaire d'État à l'Information, trois jours plus tôt, exacerbe encore sa férocité. Pétain finira par s'en émouvoir début août dans une lettre à Laval. Trop tard...

ne rassure pas les citoyens, elle leur fait peur. Les principes auxquels les miliciens prêtent serment ne laissent aucun doute sur l'orientation idéologique de cette police politique :

« Contre la dissidence gaulliste, pour l'unité française,

Contre le bolchevisme, pour le nationalisme,

Contre la lèpre juive, pour la pureté française,

Contre la franc-maçonnerie païenne, pour la civilisation chrétienne. »

L'entrée au gouvernement en janvier 1944 de trois collaborationnistes, dont deux miliciens – Joseph Darnand au Maintien de l'ordre, Philippe Henriot à l'Information –, prouve que la lutte contre la Résistance s'intensifie et se durcit encore. La Milice pénètre l'appareil d'État, coiffant notamment la police et l'administration pénitentiaire. À cela s'ajoutent des exécutions sommaires : Jean Zay, ministre de l'Éducation nationale du Front populaire, assassiné le 20 juin 1944 ; Georges Mandel, actif ministre de l'Intérieur en 1940 contre l'extrême droite pronazie, abattu le 7 juillet 1944 ; Victor Basch, ancien président de la

Un gendarme français, au premier plan, garde le camp de Pithiviers dans le Loiret, lieu d'internement de Juifs à partir de 1941. La silhouette du gendarme français fut censurée dans *Nuit et Brouillard*

A bas l'antisémitisme !

HONNEUR
aux camarades jui[
morts pour
la liberté et l'indépenda[
de la France

réalisé en 1956 par Alain Resnais, l'image étant jugée intolérable pour l'opinion.

Ligue des droits de l'homme, assassiné avec sa femme le 10 janvier 1944 par la milice qui laisse sur les corps des deux octogénaires ce texte : « Terreur contre terreur : le juif paie toujours… À bas de Gaulle, à bas Giraud. Vive la France. Comité national anti-terroriste de la région lyonnaise. »

Une composante essentielle de la politique répressive de Vichy est, en effet, son antisémitisme qui s'est exacerbé et fanatisé au fil de la période. En dépit de quelques remarquables exceptions, jusqu'au

printemps 1942, la Résistance ne prend pas conscience de la nature spécifique de la persécution antisémite et de la mécanique tragique qui s'est mise en place. La presse clandestine reflète moins, il est vrai, le sentiment profond de ses rédacteurs que le souci de convaincre et de se faire accepter d'une opinion que la propagande de Vichy conforte dans le caractère civique de l'antisémitisme. Les nombreuses et impitoyables rafles de l'été 1942 amènent la Résistance à parler plus clair sur le sujet même si son discours s'exprime dans une vision d'ensemble de la lutte qui ne distingue pas le sort des personnes persécutées. La caractérisation de l'attitude de la Résistance vis-à-vis de la persécution antisémite est d'autant plus difficile que les mouvements comptent de nombreux Juifs qui s'y sont individuellement et pleinement intégrés sans

Au centre de la photo ci-contre, visiblement de bonne humeur, le général SS Karl Oberg, chef de la police allemande en France. À droite, affable, le commandant Herbert Hagen, son adjoint et chef d'état-major. Tous deux conversent avec Pierre Laval, cigarette aux lèvres, pris sous un angle qui rend indéchiffrable le visage de l'homme fort du régime de Vichy revenu au pouvoir en avril 1942. La nomination d'Oberg avait coïncidé en mai 1942 avec le transfert aux SS des opérations de police jusqu'alors confiées au commandement militaire. Herbert Hagen, spécialiste du renseignement et de l'action antijuive, avait pris son poste à Paris à la même époque. Le durcissement du printemps et de l'été 1942 – avec les grandes rafles dont celle du Vél d'Hiv –, voulu par l'occupant, relayé par l'État français qui prêta le concours de son administration et de sa police, eut pour effets inattendus, au moins pour ses promoteurs, de braquer le projecteur sur les persécutions antisémites, de laisser deviner le sort tragique qui attendait celles et ceux qui en étaient victimes et, par voie de conséquence, d'éveiller l'attention de la population et de la Résistance sur le drame qui se jouait.

Voici la preuve

Ce sont toujours des étrangers qui les commandent.

Ce sont toujours des chômeurs et des criminels professionnels qui exécutent.

Ce sont toujours des juifs qui les inspirent.

revendiquer aucune spécificité, y compris dans leurs cercles dirigeants comme Jean-Pierre Lévy, Raymond Aubrac, Daniel Mayer. Invité en 1984 à un colloque sur « Les Juifs dans la Résistance et la Libération », ce dernier déclinait la hiérarchie de ses motivations de résistant ainsi : « socialiste puis français, et enfin juif ». Le président de séance, israélien, fit alors valoir que, dans la mesure où il lisait de droite à gauche, l'ordre de cette énumération lui convenait parfaitement...

Encore faut-il préciser que de nombreux citoyens ont, très tôt, entrepris le sauvetage de Juifs menacés. Cela s'est réalisé à l'échelle individuelle comme dans le cas, exhumé par l'historien Patrick Cabanel, d'Alice Ferrières, née en 1909 dans une famille protestante cévenole, professeur dans l'enseignement primaire supérieur à Murat dans le Cantal, « pièce décisive d'une vaste entreprise

Réunis dans une cour de la prison de Fresnes pour s'y faire littéralement tirer le portrait, huit des accusés du procès du groupe Manouchian – sixième en partant de la droite – ouvert le 15 février 1944 devant le tribunal militaire allemand de Paris. Communistes, étrangers, en majorité juifs, ces gens d'élite, qui font de la lutte armée, savent leur sort scellé.

de sauvetage » (Mona Ozouf). Il arrive, en effet, que ces gestes individuels renvoient à une véritable mobilisation collective comme au Chambon-sur-Lignon en Haute-Loire ou à Dieulefit dans la Drôme qui vinrent solidairement en aide aux Juifs persécutés.

Quoi qu'il en soit, la radicalisation de Vichy, avec des mesures comme le STO qui concernent pratiquement tous les foyers, prive peu à peu le régime du soutien d'une opinion devenue très attentiste. La légitimité change de camp à partir de 1943, passant à la Résistance.

La Résistance comme mouvement social

Tout au long de son existence, la Résistance aura été un phénomène de transgression animé par la volonté de nuire à l'occupant par des actions concrètes. Si, dans la mémoire collective, l'image qui surgit le plus spontanément lorsqu'on évoque la Résistance est celle d'un maquisard armé ou d'un agent de réseau entraîné et formé au combat, armé lui aussi, la réalité au ras de la quotidienneté aura été très différente. C'est que la résistance armée fut extrêmement minoritaire : les fameux groupes armés qui, dans la mouvance du parti communiste, commirent des attentats spectaculaires ne devaient pas regrouper beaucoup plus d'une centaine de militants. C'est bien ce qui explique le prestige d'hommes comme le colonel Fabien, Joseph Epstein ou Missak Manouchian, figures de proue des combattants FTP.

Hormis la poignée de ces militants extrêmement déterminés (dont les homologues dans les mouvements non communistes sont regroupés dans des groupes francs), la résistance armée fut tardive dans la mesure où le phénomène des maquis ne fut

« L'affiche rouge », éditée par le Centre d'études antibolcheviques, paravent de la Propaganda Abteilung, est placardée le lendemain de l'exécution de vingt-deux membres du groupe Manouchian, le 21 février 1944 au mont Valérien. Les dix portraits réalisés à Fresnes dessinent un triangle pointant les atrocités imputées à ces hommes. Le propos est tout entier centré sur la dénonciation du « complot de l'anti-France ». *Les Lettres françaises* de mars 1944 prêtent cette réaction à une femme devant l'affiche : « Ils ne sont pas parvenus à leur faire de sales gueules. »

pas, sauf exception, antérieur à 1943. Après une impressionnante montée des effectifs entre fin 1942 et novembre 1943, il reflua même avant de ne se développer vraiment qu'à partir du mois d'avril 1944. Tous les maquis ne furent pas, par ailleurs, synonymes de formations armées. Il y eut des maquis-refuges, c'est-à-dire des lieux où des jeunes gens se cachèrent pour échapper aux réquisitions du STO sans pour autant se battre. Quant aux agents des réseaux, à côté de professionnels aguerris, ils comptèrent surtout des gens ordinaires : les agents à temps plein, les P2, ne pouvaient rien sans les P1 (qui avaient une fonction régulière dans le réseau tout en exerçant leur profession) et les P0 (qui étaient des agents occasionnels). Le nombre de clandestins à part entière (ceux qui plongèrent en clandestinité en rompant toutes les amarres avec le monde des légaux) fut partout très faible parce que la Résistance n'était pas riche. C'est vrai des réseaux comme des mouvements. D'ailleurs, la distinction entre les deux types d'organisation est à la fois pertinente et trompeuse : il y eut, on l'a dit, de larges zones d'intersection entre les deux, les volontaires n'étant pas si nombreux.

S'adressant en 1974 aux historiens, Pascal Copeau, membre permanent du bureau du CNR, disait de la Résistance : « [...] en réalité, ce n'était pas ce bel édifice que vous pouvez croire, c'était une faible toile d'araignée et nous, Pénélope infatigable, nous avons passé notre temps en circulant à bicyclette ou comme nous pouvions, à réparer cette toile d'araignée, à la rapetasser, à renouer les fils, à remettre des hommes là où ils étaient tombés. » La métaphore de la toile d'araignée suggère très justement le caractère très élaboré en même temps que l'extrême fragilité des constructions clandestines.

En dehors du petit monde des dirigeants de la Résistance, réunissant responsables intérieurs et ceux désignés par Londres, qui vivait pour l'essentiel à huis clos, il y avait celui des militants qui souvent ne savaient pas à quelle organisation ils appartenaient, qui distribuaient indifféremment tracts et journaux de toutes provenances. Ce sont

Cette grande tablée d'une trentaine d'hommes pourrait avoir des allures d'agapes de partie de chasse – trois cadavres de bouteille sont visibles sur la partie gauche – s'il n'y avait les pistolets que les deux hommes assis à l'extrême gauche tiennent ostensiblement en main, deux hommes arme à l'épaule droite au dernier rang et, étonnamment, un homme allongé au tout premier plan qui pointe le canon de son arme vers le photographe...

ceux que Pierre Brossolette, qui les avait côtoyés en zone occupée, appela les « soutiers de la gloire », dans son allocution à la BBC le 22 septembre 1942.

Le point commun aux deux niveaux était de former ce que Pascal Copeau nommait « la cité clandestine de l'honneur » et de risquer la mort à tout moment sans distinction aucune. Progressivement, cette micro-société élabora une véritable contre-société, une contre-culture qui, d'abord marginale, finit par supplanter celle de Vichy. Cette contre-société, qui ne se reconnaissait pas dans les lois de Vichy, proposa et pratiqua, comme l'a bien montré l'historien britannique Kedward, une inversion des valeurs de l'État français. Il y eut le « préfet du maquis », le jeune instituteur communiste Georges Guingouin, passé à la clandestinité totale dès février 1941 et devenu chef d'un important maquis, qui, dans le Limousin,

… Cette troupe, regards et corps tournés vers l'objectif, qui pose tranquillement, cigarette et pipe à la bouche ou en main, ce sont des hommes du maquis de Haute Corrèze. Des hommes, au sens sexué du terme, aucune femme n'étant présente sur la photo qui évoque plus des retrouvailles que le combat. Serait-on après les combats, dans la célébration d'après libération, déjà dans la commémoration en quelque sorte ?

Si la Résistance en général est, pour d'évidentes raisons de sécurité, avare d'images, pour son volet maquisard, c'est presque le trop-plein qui guette. En haut, à gauche, à Grenoble; en bas, à gauche, dans le massif de la Chartreuse fin août 1944 avec des maquisards revêtus de vrais uniformes; ci-dessus, en juillet 1944 avec le ramassage d'un parachutage sur le plateau du Vercors avant que l'offensive allemande ne se mette implacablement en marche; ci-contre, avec une scène de bivouac, le kaléidoscope est assez représentatif.

fit coller ses affiches prescrivant aux habitants les prix à pratiquer pour les denrées de première nécessité. Il n'y avait nulle dérision dans la signature de « préfet du maquis » mais, au contraire, l'affirmation d'une légitimité. Au culte du chef Pétain répondait celui du chef du maquis. En pleine occupation, le maquis de l'Ain dirigé par Henri Romans-Petit occupa Oyonnax quelques heures le 11 novembre 1943. Cette opération à très hauts risques visait à substituer à l'image de bandits sans foi ni loi, telle que Philippe Henriot et la

Prise probablement en mai ou juin 1944, cette photo très souvent reproduite montre un instructeur, l'aspirant Albert Oriol, instituteur de son état, expliquant le fonctionnement d'une mitraillette Sten aux jeunes garçons du maquis de Boussoulet en Haute-Loire.

Cérémonie aux couleurs dans ce qui semble être une sorte de clairière dans le maquis de l'Ain. L'homme au clairon sonne-t-il la victoire ? C'est possible mais l'intérêt de cette photographie réside surtout dans la volonté qu'elle traduit de donner du maquis une image d'ordre et de discipline militaire. Les maquisards ont beau porter des uniformes dépareillés, ils sont en uniforme. La propagande de Vichy n'ayant de cesse de présenter les maquis comme des repaires de hors-la-loi désœuvrés vivant sur le pays sans autre raison d'être que l'oisiveté et le laisser-aller, il importe aux chefs de maquis, comme Romans-Petit dans l'Ain, de montrer tout au contraire que la véritable discipline, le respect des traditions authentiques, en bref les valeurs positives, c'est au maquis, non à Vichy ou dans ses institutions, qu'on les trouve. De fait, en 1944, ce ne sont pas les Chantiers de jeunesse du gouvernement de Vichy qui incarnent la légitimité et attirent des volontaires, mais bien les maquis. Cette bataille-là, essentielle, a été gagnée par la Résistance.

propagande de Vichy la martelaient jour après jour, le spectacle d'une troupe disciplinée, défilant militairement et rendant hommage, pour l'anniversaire de l'armistice de la Grande Guerre, à ses anciens. Dans le même ordre d'idée, aux chantiers de jeunesse créés par Vichy se substituèrent les maquis.

Derrière tout cela, il y avait la vieille culture du hors-la-loi qui fait respecter et rétablit la vraie loi, celle qui est conforme à l'éthique. C'est sur ce terrain-là aussi que Vichy perdit la bataille. Ce qui comptait ici, c'était la pratique, la morale exigeante par l'exemple. Réfléchissant au combat de son ami le philosophe Jean Cavaillès, entré premier à l'École normale supérieure de la rue d'Ulm en 1923, un des philosophes les plus brillants de sa génération, arrêté en août 1943 et fusillé en janvier 1944 sans avoir eu le loisir d'écrire une ligne sur le sens de son combat, Georges Canguilhem notait : « D'ordinaire, pour un philosophe, entreprendre d'écrire une morale, c'est se préparer à mourir dans son lit. Mais Cavaillès, au moment où il faisait tout ce qu'on peut faire quand on veut mourir au combat, composait une logique. Il a donné ainsi sa morale, sans avoir à la rédiger. »

Les résistants, gens d'élite, minoritaires mais pas marginaux

À la Résistance, on accole souvent l'idée d'héroïsme. Et c'est amplement justifié. Résister, c'était affronter la solitude, c'était aussi risquer la mort, la pire qui soit, la mort anonyme quand un résistant arrêté sous une fausse identité pouvait affronter le martyre avec la certitude que nul ne saurait ce qu'il était advenu de lui. La mort anonyme, cruelle et solitaire des clandestins. C'est le sens des mots de Malraux, le 19 décembre 1964, lors du transfert de ses cendres

au Panthéon : « [...] entre ici, Jean Moulin, avec ton terrible cortège ». Mais résister, c'était aussi trouver, prouver et éprouver une solidarité comme les temps de paix n'en génèrent qu'exceptionnellement. Ainsi, Jacques Bingen, parti comme on a dit en juin 1940, devenu agent du BCRA et parachuté en France en août 1943, devint délégué général du général de Gaulle. Arrêté le 12 mai 1944, il croqua sa pilule de cyanure. Un mois plus tôt, le 14 avril, il tenait à faire savoir à ses proches dans une lettre testament, parce qu'il sentait le filet se resserrer autour de lui, « combien j'ai été *prodigieusement heureux* durant ces derniers huit mois. Il n'y a pas un homme sur mille qui pendant huit jours de sa vie, ait connu le bonheur inouï, le sentiment de plénitude que j'ai éprouvé en permanence depuis huit mois ». Et d'évoquer un peu plus loin sa « vision heureuse de cette paradisiaque période d'enfer ».

L'héroïsme se nourrit aussi de cette fraternité résistante et des épreuves endurées, de la peur amadouée vaille que vaille. Un exemple frappant : celui de Moulin qui, trois ans après avoir craint de ne pas résister aux coups, tint bon face à ses

Jacques Bingen (à gauche), col ouvert, apparaît comme un homme déterminé, jeune et amoureux de la vie. Il reçut la Croix de la Libération avec une lettre du général de Gaulle fin mars 1944 : « Je suis très heureux de vous faire apporter la Croix de la Libération qui vous a été décernée et que vous méritez si bien ! Plus que jamais, je vous tiens pour un "Compagnon" avec tous les prolongements que comportent le mot et la chose. »

tortionnaires, ne livrant aucun secret, lui qui avait toute l'architecture de la Résistance en tête. Même détermination chez Fred Scamaroni, arrêté et torturé en mars 1943 en Corse par l'Organisation de vigilance et de répression de l'antifascisme, qui se taillada les veines et écrivit de son sang sur le mur de sa cellule : « Je n'ai pas parlé. »

La répression ne fut jamais si forte que dans les derniers mois de la lutte. Longtemps, le nombre communément admis de déportés pour faits de résistance a été de soixante-cinq mille. Cette estimation a été revue à la hausse depuis peu pour parvenir à un chiffre légèrement supérieur à quatre-vingt-six mille personnes dont 44 % seulement revinrent des camps de concentration.

Ce qui pose indirectement une question : combien y eut-il de résistants ? Aussi légitime qu'elle est insoluble, la question méconnaît la nature profonde

Ces hommes jeunes qui marchent mains sur la tête, encadrés par deux miliciens eux-mêmes fort jeunes, sont tombés dans une opération de police dont on entrevoit des éléments à l'arrière-plan. Qu'ils soient résistants ou non, leur situation à compter de cet instant est lourde de dangers. La Milice ne brille ni par ses scrupules, ni par son discernement. De telles scènes éloignent chaque jour davantage la population de Vichy.

de ce phénomène qu'on désigne sous le vocable commode de « la Résistance ». Dresser des comptes d'apothicaire ne permet nullement de rendre compte d'une réalité impossible à cerner de façon rigoureuse sous cet angle. La vraie question, au fond, est celle de savoir si la Résistance fut minoritaire. Si oui, jusqu'à quel point ? Avec quelle évolution au fil de la période ? Surtout avec quels types de liens avec la population dans son ensemble ? L'opinion dominante, et ressassée *ad libitum*, est que les résistants furent une poignée dont on fixe volontiers à la louche le chiffre à cent mille individus en vis-à-vis desquels on dispose cent mille collaborateurs avec dans l'entre-deux un tout petit peu moins de 40 millions de Français attentistes, voire opportunistes, basculant au printemps 1944 dans le camp de la Résistance quand la messe était dite. Cette vision, qui se retrouve sous les plumes ou les caméras les mieux intentionnées, a l'attrait de la simplicité confortée par un solide bon sens : une belle et bonne symétrie, facile à mémoriser et qui flatte l'idée commune que la veulerie est la chose la mieux partagée au monde ! Elle méconnaît à la fois ce que fut la Résistance comme phénomène social et le fait que l'évolution des mentalités entre 1940 et 1944 fut considérable.

Créé en novembre 1940, l'ordre de la Libération, qui ne comporte aucune hiérarchie entre ses membres, est d'abord conçu comme un moyen de remplacer la Légion d'honneur que le chef de la France Libre ne s'estime pas en droit de décerner. Graduellement, la décoration est réservée à des combattants dont les mérites doivent être, selon de Gaulle, « hors de pair ». Ci-dessous, le général de Gaulle procède à la première remise collective de vingt-cinq Croix de la Libération sur le front des troupes en Palestine le 26 mai 1941.

Pour démêler l'écheveau de l'indéchiffrable énigme du nombre des résistants, on dispose de quelques maigres indices. Le général de Gaulle fit attribuer la Croix de la Libération à 1 038 civils et militaires dont un quart environ était issu de la Résistance intérieure. Mais cette haute distinction n'était destinée qu'à celles et ceux qui avaient accompli des actes d'un héroïsme exceptionnel. La Médaille de la Résistance avait, quant à elle, vocation à reconnaître les mérites de celles et ceux qui avaient des titres résistants incontestables : elle fut décernée à quelque quarante mille personnes. Pour homologuer l'activité résistante, fut en outre

créée la carte de combattant volontaire de la Résistance (CVR) : au total, un peu plus de deux cent mille personnes l'ont reçue au titre de la Résistance intérieure. En sorte que, quel que soit le critère que l'on choisisse, le dénominateur commun est bien le caractère minoritaire de l'appartenance à la Résistance intérieure.

Même à supposer qu'il faille majorer le nombre de personnes qui auraient mérité la carte de CVR, notamment en y incluant les femmes à qui elle fut d'autant plus chichement attribuée qu'elles en firent peu la demande, le pourcentage de personnes officiellement reconnues résistantes demeure faible. C'est ici que les choses se compliquent

Ci-contre, en 1944 ou 1945, au centre en uniforme clair, plus mûr que les deux très jeunes gens qui sont à ses côtés mais tout de même d'allure juvénile, Jean-Pierre Vernant, tout juste trentenaire. Rien ne prédestinait cet agrégé de philosophie, militant communiste, antimilitariste patenté, à devenir le très admiré colonel Berthier qui, à la Libération, commandait plusieurs dizaines de milliers de FFI dans la région R4, soit une zone couvrant huit départements autour de Toulouse. Au premier plan, en bas à droite de cette photo de groupe avec chef, sa femme Lida, sa compagne, dans le sens le plus fort du terme, dans la clandestinité. Bien que cet orateur hors pair et écrivain limpide ait très peu parlé, et moins encore écrit sur cette période cruciale, le compagnon de la libération Vernant a, sur ses vieux jours, accepté de lever un coin du voile, en particulier sur ce qui constituait le sel du vécu résistant : « On faisait face à une situation qui excluait, à nos yeux, tout compromis, toute échappatoire. C'était le tout ou rien. Pas d'accommodement, de demi-mesure, de double jeu. D'emblée, sans même avoir le sentiment de faire un choix, on se trouvait jeté au premier rang. »

FRANÇAIS, FRANÇAISES !

C'est l'existance, l'avenir et l'honneur du pays, c'est pour chacun de nous notre foyer et nos raisons de vivre qui sont actuellement en cause.

Levons-nous, armons-nous, et sachons nous battre pour faire echec au plan hitlérien, pour réaliser l'Insurrection Nationale, inséparable de la Libération Nationale !

Vive le Gouvernement Provisoire de la République !

VIVE LA FRANCE !

LE CONSEIL NATIONAL DE LA RÉSISTANCE

singulièrement. L'appartenance effective, administrativement reconnue avec les droits afférents, à la Résistance épuise-t-elle ce qu'elle fut? Rien n'est moins sûr. Les habitants du village de Cereste dans le Vaucluse qui, par leur mutisme quand SS et miliciens les menaçaient, sauvèrent la vie du chef de maquis René Char au printemps 1944, ont-ils reçu la carte de CVR? Pour reprendre une distinction de Pierre Laborie, le fait que la Résistance ait été numériquement minoritaire d'un bout à l'autre de la période des années noires ne signifie nullement qu'elle ait été constamment marginale. La fausse symétrie entre collaborateurs et résistants ne tient pas de ce point de vue non plus : tandis que les premiers s'isolaient de plus en plus, les seconds bénéficiaient du soutien effectif et tacite d'une part croissante de la population. Isolée et stigmatisée au début de la période, la Résistance devint bel et bien en 1943 et 1944 un phénomène social de grande ampleur. Réduire le soutien qu'elle reçut de la population aux résistants de la onzième heure qui firent de la surenchère activiste aux heures brûlantes de la Libération, c'est voir les choses par le petit bout de la lorgnette. Il reste que les résistants furent bien une minorité, une minorité consciente de l'être et, de ce fait, sans qu'elle le claironnât sur tous les toits, fière de ce qu'elle avait accompli et élitiste.

En haut, un tract reproduisant un appel du CNR après le 6 juin 1944. Le programme du CNR fit l'objet, avec pour titre « Les jours heureux », d'une publication soignée de Libération-Sud sous la forme d'une brochure de couverture bleue dont cent exemplaires numérotés furent tirés sur papier de très grande qualité.

L'État clandestin à l'œuvre

S'époumonant à chercher dans le passé des références de nature à fonder son action, absorbée par un présent intense, exaltant et périlleux, la Résistance ne cessa d'avoir le regard braqué sur l'avenir. Ce fut là une de ses grandes forces. C'est ce qui lui permit d'aborder les eaux tourmentées de la Libération en tenant fermement son gouvernail. Quand sonna l'heure de la libération, la Résistance s'était dotée d'un organisme de direction militaire. Elle avait mis au point un programme d'action le 15 mars 1944, fruit de cinq projets soumis

Le Conseil national de la Résistance pose au grand complet après la Libération (ci-dessous). Au fond, J. Debû-Bridel, P. Villon, R. Chambeiron, P. Copeau, J. Lecompte-Boinet, A. Mutter, J.-P. Lévy, P. Meunier. Au milieu : G. Tessier, J. Laniel, son président G. Bidault, H. Ribière, P. Bastid. Devant et sur la droite : D. Mayer,

successivement au CNR depuis juillet 1943, qui symbolisait l'union nationale : ce texte anticipait et appelait de ses vœux l'insurrection armée libératrice et définissait un projet économique et social très ambitieux à travers « les mesures à appliquer dès la libération du territoire ». Elle avait clandestinement créé des comités départementaux de la Libération,

A. Gillot, L. Saillant. Compte tenu de cinq départs pour Alger et de quatre disparitions, le CNR compta au total vingt-cinq membres dans la clandestinité.

nommé aux postes de préfets et de commissaires régionaux de la République des hommes qui avaient sa confiance. C'est que la Résistance était parvenue à mettre sur pied un véritable « État clandestin », selon la formule d'Alban Vistel. La France évita ainsi l'AMGOT (Allied Military Government of Occupied Territories), un dispositif prévu par les Américains pour administrer les territoires au fur et à mesure de leur libération.

La Résistance démontra son efficacité en livrant aux Alliés des renseignements qui facilitèrent les débarquements de juin et août et permirent aux troupes ayant pris position sur le sol français de progresser beaucoup plus vite que prévu pour libérer le territoire. Elle mit en œuvre les différents plans de sabotage préparés dans l'optique d'un débarquement : vert (voies ferrées), violet (lignes

Un groupe de trois hommes, bien visibles au premier plan, pose du plastic sur une voie ferrée. Le jeudi 1er juin 1944, 161 messages d'alerte sont diffusés par la BBC. Le 5 juin, à 21 h 15, plus de 200 messages se suivent pendant seize minutes pour l'exécution des sabotages programmés en vue du Débarquement.

téléphoniques souterraines à grande distance), Bibendum (en référence à l'image de marque de Michelin, organisant la coupure d'itinéraires routiers importants), bleu (lignes à haute tension). S'il est extrêmement difficile de dresser un bilan précis de l'exécution de ces plans, déclenchée par une batterie de messages codés diffusés le 5 juin 1944 sur les antennes de la BBC, il est indéniable qu'ils ont grandement accéléré le calendrier des opérations programmées par la stratégie alliée.

Les Forces françaises de l'intérieur (FFI), qui regroupaient toutes les formations paramilitaires, se battirent rudement d'autant que les opérations militaires alliées sur le territoire français furent longues, ce qui leur donna l'occasion de se manifester au grand jour en y prenant toute leur part. Dès septembre 1943, la Corse connut un soulèvement décisif. Certes, sur le continent, la plupart des villes françaises furent libérées par les Alliés ou par le départ de l'occupant. Toutefois, Lille, Marseille et, plus encore, Paris connurent une véritable insurrection, les barricades et les combats de la capitale revêtant une valeur symbolique qui n'échappa à aucun des acteurs des luttes de ce temps. Non sans essuyer de lourdes pertes, non sans connaître des tragédies (les centaines de maquisards et civils du Vercors tués par la Wehrmacht en juillet 1944), la Résistance armée concourut donc à la libération nationale.

Quelle que soit son exactitude, cette carte postérieure au 6 juin 1944 donne une idée des résultats concrets des sabotages effectués sur le réseau ferré : les tronçons de lignes brisées sont tout ce qu'il reste de l'architecture séculaire en place auparavant. C'est en avion que le général de Gaulle se rend à Lyon, Marseille, Toulon, Toulouse, Bordeaux et Orléans en septembre 1944. Il faut attendre le mois suivant pour que la liaison ferroviaire Paris-Lyon-Marseille, essentielle au bon

NOS CHEMINS DE FER EN JUIN 1944

De façon générale, l'importance du rôle joué par la Résistance se marqua surtout politiquement : la libération se fit, en effet, dans un climat surprenant d'union sacrée comme si les différends, bien réels ou latents, qui avaient divisé et étaient appelés à

fonctionnement de l'économie du pays et pour son unité politique, soit rétabli.

Scènes de l'insurrection parisienne en août 1944. En haut, à gauche, armé d'un fusil mitrailleur posé à même le rebord d'une fenêtre, bras nus, un homme en bretelles tire depuis la préfecture de police tandis qu'un autre, en retrait et accroupi, tient prêt un chargeur de remplacement. En bas, à gauche, des FFI, nettement moins bien lotis en armement, scrutent rues et bâtiments depuis les toits. En haut, à droite, Montmartre en toile de fond, un homme en costume observe en s'abritant derrière une cheminée. En bas, à droite, dans l'île Saint-Louis, derrière une barricade constituée de sacs de toile, érigée à un angle de rue à côté de la devanture d'une boutique faisant réclame de ses spécialités du Beaujolais, une femme et un homme, tous deux en civil, un casque sur la tête, s'affairent. Deux grenades sont posées devant la femme qui porte un étui de pistolet. Toutes ces photos attestent que le soulèvement est le fait de la population. Armés de bric et de broc, largement livrés à eux-mêmes et improvisant comme ils peuvent, Parisiennes et Parisiens reprennent possession de leur ville dans l'ivresse de pouvoir enfin se battre au grand jour. Ils sortent de la nuit de l'Occupation.

26 août 1944. Venant des Champs-Élysées où il a reçu l'onction populaire, le général de Gaulle arrive à Notre-Dame vers 16 h 30. Il est sur le parvis de la cathédrale quand des coups de feu retentissent : « Il me paraît tout de suite évident, écrira-t-il dans ses *Mémoires de guerre*, qu'il s'agit là d'une de ces contagieuses tirailleries que l'émotion déclenche parfois dans les troupes énervées, à l'occasion de quelque incident fortuit ou provoqué. En ce qui me concerne, rien n'importe davantage que de ne point céder au remous. » Si le chef du gouvernement provisoire entre dans la cathédrale comme si de rien n'était, les FFI présents sur place ripostent en se mettant à l'abri – illusoire – de tractions avant tandis que le personnel de l'Hôtel-Dieu profite à la fenêtre de sa position privilégiée… Acteurs et badauds se côtoient dans une atmosphère de tension et d'incrédulité. Peu importe au fond. Ce qui compte, c'est que le soulèvement parisien ait été une réalité sur fond d'un pays où la libération de type insurrectionnel a été une rareté. Paris insurgé, de Gaulle acclamé et adulé, les coups de feu du 26 août relèvent de l'accessoire pour des contemporains trempés par les épreuves.

diviser les résistants, étaient un temps suspendus. Nonobstant des accrocs survenus ici ou là, ce qui frappe rétrospectivement dans le déroulement des étapes de la libération du pays, c'est la forte légitimité dont la Résistance et le gouvernement provisoire de la République française, constitué le 3 juin 1944, étaient investis.

Le contraste est saisissant avec le sort et le statut du gouvernement de Vichy qui, en dépit de manœuvres de dernière minute pour reprendre la main, éclata, et avec lui les institutions qui lui étaient fidèles, comme une bulle de savon. Pétain, Laval et les caciques de la collaboration partirent dans les fourgons allemands vers l'Allemagne. Tout ce petit monde, où s'épanouissaient des haines inexpiables, se retrouva dans le

Bade-Wurtemberg à Sigmaringen. Le vrai jeu alors se pratiquait ailleurs, dans la France libérée et au blason redoré par l'insurrection parisienne d'août 1944. Le général de Gaulle et son gouvernement provisoire eurent soin d'y exercer pleinement le pouvoir en restaurant l'autorité de l'État, en prônant le retour à l'ordre républicain et en déniant aux organes de la Résistance unie tout autre rôle que symbolique. Non sans semer le désarroi dans les rangs des résistants qui avaient pensé qu'ils joueraient un rôle moteur dans une France à reconstruire dans tous les sens du terme, de Gaulle martela le message de l'autorité sans partage de l'État au cours de la tournée qu'il effectua entre les 14 et 18 septembre en se rendant successivement à Lyon, Marseille, Toulon, Toulouse, Bordeaux, Saintes et Orléans. Le message était aussi clair que la cause était entendue : le champ dans lequel la Résistance évoluerait désormais serait celui de la mémoire.

Cette affiche du commissariat à l'Information du gouvernement provisoire de la République française met en exergue, en septembre 1944, la « Victoire » qui s'inscrit dans les bras levés du général de Gaulle. Au sens militaire, en Europe, la victoire attendra pourtant le 8 mai 1945. Mais, dans l'optique du général de Gaulle et de la Résistance, la Victoire, c'est la libération du territoire métropolitain et la part qu'y prennent les Français. La victoire est politique et morale.

La Résistance et sa mémoire

La mémoire de la Résistance, dont ses acteurs se sont préoccupés dès le temps de la clandestinité, a éprouvé les plus grandes difficultés à se faire vraiment entendre dans la France d'après-guerre. Non que la Résistance n'ait pas été célébrée. Le pouvoir politique, sous les IVe et Ve Républiques, l'a exaltée et a même créé des instances, à partir d'octobre 1944, pour que son histoire soit écrite sans retard, ce qui n'est pas banal. Les principales forces politiques l'ont portée comme un étendard, gaullistes et communistes en tête, les socialistes, les démocrates-chrétiens et d'autres peinant davantage à valoriser cet héritage-là.

11 novembre 1945, à l'Étoile, le général de Gaulle et Henri Frenay, ministre des Prisonniers et Déportés, saluent une veuve de guerre dont le long voile noir flotte au vent. Les cérémonies s'achèvent à la nuit tombée par le transfert de quinze cercueils de Français tombés pour la patrie entre 1939 et 1945 au mont Valérien où ils doivent reposer dans une nécropole. L'itinéraire de ces dépouilles, réunies aux Invalides, exposées ensuite place de l'Étoile, acheminées enfin au mont Valérien, relie, comme l'a souligné l'historien Gérard Namer, trois mémoires : la mémoire historique, la mémoire militaire et la mémoire épique. La photo a une autre signification. Frenay fait là sa dernière apparition publique puisque son ministère est ensuite dissous à sa demande. Le général de Gaulle démissionnera, quant à lui, en janvier 1946. Deux acteurs majeurs de la Résistance tirent ainsi leur révérence dans un climat qui n'est plus celui de l'unanimité de 1944. Sur fond de conflit entre le général de Gaulle et les partis au pouvoir, la commémoration du 11 novembre 1945 est une façon de rappeler à la nation tout ce qu'elle doit à l'homme du 18 juin 1940. Il n'empêche : une page se tourne.

De la frappe de timbres honorant les héros de la Résistance en 1958 à l'hommage rendu aux résistants fusillés du bois de Boulogne par Nicolas Sarkozy tout juste élu président de la République en 2007, la Résistance n'a pas été oubliée. L'idée prévaut même que jusqu'à la fin des années 1960, la France aurait communié dans un résistancialisme qu'on peut sommairement définir comme l'entretien de l'illusion selon laquelle tous les Français auraient résisté entre 1940 et 1944. Cette thèse mériterait d'être examinée de près. D'abord, parce que jamais les Français n'ont cru un instant à une unanimité résistante. Ensuite, parce que ce qu'on peut appeler l'héritage de la Résistance, sur le plan politique au moins, a été graduellement vidé de sa substance, puis oublié même si elle n'a cessé d'être une référence morale de premier plan dont se sont réclamés des acteurs et des mouvements très différents au fil du temps.

C'est que la mémoire de la Résistance est éminemment difficile à célébrer. Les résistants n'ont, en réalité, cessé d'être confrontés à une contradiction insurmontable : ou bien ils insistaient sur ce qui les distinguait et ils se marginalisaient ; ou bien ils célébraient une France unanimement résistante et ils ôtaient à leur action ce qu'elle avait eu d'exceptionnel.

L'hommage de la nation à la Résistance a trouvé son point d'application dans le choix d'un héros, Jean Moulin. En 1964, pour le vingtième anniversaire de la Libération, ses cendres ont été transférées au Panthéon. C'est que le premier président du CNR réunissait un ensemble de qualités que peu de ses camarades de combat pouvaient présenter : être mort en héros sous la torture sans avoir parlé ; avoir été un pionnier de la Résistance ; avoir été reconnu comme un chef d'envergure ; pouvoir représenter les deux résistances, c'est-à-dire être à la fois un homme de l'ombre et de Londres.

Cette panthéonisation aurait pu échouer, c'est-à-dire susciter l'indifférence. Il n'en fut rien. Le discours de Malraux, oraison funèbre à la Bossuet, a parfaitement rempli son office. Et Moulin est désormais « le pauvre roi supplicié des ombres »

Les timbres de la série « Héros de la Résistance » furent émis entre 1957 et 1961. Parmi eux, ces deux compagnons de la Libération, Simone Michel-Lévy, rédactrice aux PTT, membre de la Confrérie Notre-Dame et de l'OCM, déportée à Ravensbrück,

pendue en avril 1945 à Flossenbürg, et Fred Scamaroni, engagé dans les Forces françaises libres en juin 1940, envoyé en mission en Corse en janvier 1943, qui se suicida le 19 mars 1943 pour ne pas parler.

célébré par le ministre de la Culture du général de Gaulle. Comme le soldat inconnu symbolise la première guerre, il symbolise la deuxième. L'Armée des Ombres a trouvé sa figure de proue qui réunit toutes celles et tous ceux qui sont morts à la tâche clandestine comme dans les camps. Le discours de Malraux, qui aurait pu paraître grandiloquent, a touché juste en soulignant la dimension légendaire de la Résistance et en proclamant la dette que les Français des générations postérieures ont vis-à-vis de celles et de ceux qui sont parvenus à racheter un honneur que la défaite de 1940 avait souillé. Cette dimension-là de l'héritage de la Résistance au moins n'est pas près d'être oubliée.

Les commémorations du vingtième anniversaire de la Libération culminèrent le 19 décembre 1964 avec le transfert des cendres de Jean Moulin au Panthéon. La cérémonie eut lieu en présence, et d'une certaine manière en l'honneur, partagé avec Moulin, du chef de la France Libre, de Gaulle, alors président de la République. Page suivante, Jean Moulin, hiver 1939.

TÉMOIGNAGES
ET DOCUMENTS

Aux sources de la résistance

L'écho des voix de la résistance pionnière, celle qui inventa les modalités de la lutte à mener, reste perceptible grâce à des textes par lesquels ses membres cherchèrent à traduire leur pensée et à transmettre leur message. Leur caractéristique commune est de marteler que la défaite, si imprévisible et foudroyante qu'elle ait été, n'est pas sans appel. Tout plutôt que le renoncement, même la mort.

Premier combat

Pas encore clandestin mais déjà préfet en retraite, Jean Moulin a retracé dans un texte court et dénué d'effets rhétoriques ce qu'avait été son « premier combat » face à l'occupant en juin 1940 et exposé la raison pour laquelle il avait tenté de mettre fin à ses jours.

Je ne peux pas être complice de cette monstrueuse machination qui n'a pu être conçue que par des sadiques en délire. Je ne peux pas sanctionner le déshonneur de cet outrage à l'armée française et me déshonorer moi-même.

Tout plutôt que cela, tout, même la mort.

La mort ? Dès le début de la guerre, comme des milliers de Français, je l'ai acceptée. Depuis, je l'ai vue de près bien des fois… Elle ne me fait pas peur.

Il y a quelques jours encore, en me prenant, elle eût fait un vide ici, dans le camp de la résistance.

Maintenant, j'ai rempli ma mission, ou plutôt, je l'aurai remplie jusqu'au bout quand j'aurai empêché nos ennemis de nous déshonorer.

Mon devoir est tout tracé. Les Boches verront qu'un Français aussi est capable de se saborder…

Je sais que le seul être humain qui pourrait encore me demander des comptes, ma mère, qui m'a donné la vie, me pardonnera lorsqu'elle saura que j'ai fait cela pour que des soldats français ne puissent pas être traités de criminels et pour qu'elle n'ait pas, elle, à rougir de son fils.

J'ai déjà compris le parti que je pourrai tirer de ces débris de verre qui jonchent le sol. Puisque je n'ai pas d'arme, c'est avec ça que je m'ouvrirai la gorge. Je pense qu'ils peuvent trancher une gorge à défaut d'un couteau.

Quand la résolution est prise, il est simple d'exécuter les gestes nécessaires à l'accomplissement de ce que l'on croit être son devoir.

Jean Moulin, *Premier combat*, Les Éditions de Minuit, 1947

L'appel du 18 juin 1940

Dans un message court, démonstratif, dont chaque mot était soigneusement pesé, le général de Gaulle lançait le 18 juin 1940 un appel à la résistance comme on jette une bouteille à la mer.

Les chefs qui, depuis de nombreuses années, sont à la tête des armées françaises, ont formé un gouvernement.

Ce gouvernement, alléguant la défaite de nos armées, s'est mis en rapport avec l'ennemi pour cesser le combat.

Certes, nous avons été, nous sommes submergés par la force mécanique, terrestre et aérienne de l'ennemi.

Infiniment plus que leur nombre, ce sont les chars, les avions, la tactique des Allemands qui nous font reculer. Ce sont les chars, les avions, la tactique des Allemands qui ont surpris nos chefs, au point de les amener là où ils en sont aujourd'hui.

Mais le dernier mot est-il dit ? L'espérance doit-elle disparaître ? La défaite est-elle définitive ? Non !

Croyez-moi, moi qui vous parle en connaissance de cause et vous dis que rien n'est perdu pour la France. Les mêmes moyens qui nous ont vaincus peuvent faire venir un jour la victoire.

Car la France n'est pas seule ! Elle n'est pas seule ! Elle a un vaste Empire derrière elle. Elle peut faire bloc avec l'Empire britannique qui tient la mer et continue la lutte. Elle peut, comme l'Angleterre, utiliser sans limites l'immense industrie des États-Unis.

Cette guerre n'est pas limitée au territoire malheureux de notre pays. Cette guerre n'est pas tranchée par la bataille de France. Cette guerre est une guerre mondiale. Toutes les fautes, tous les retards, toutes les souffrances n'empêchent pas qu'il y a, dans l'univers, tous les moyens nécessaires pour écraser un jour nos ennemis. Foudroyés aujourd'hui par la force mécanique, nous pourrons vaincre dans l'avenir par une force mécanique supérieure. Le destin du monde est là.

Moi, Général de Gaulle, actuellement à Londres, j'invite les officiers et les soldats français qui se trouvent en territoire britannique ou qui viendraient à s'y trouver, avec leurs armes ou sans leurs armes, j'invite les ingénieurs et les ouvriers spécialistes des industries d'armement qui se trouvent en territoire britannique ou qui viendraient à s'y trouver, à se mettre en rapport avec moi.

Quoi qu'il arrive, la flamme de la résistance française ne doit pas s'éteindre et ne s'éteindra pas.

Demain, comme aujourd'hui, je parlerai à la radio de Londres.

Charles de Gaulle

« Conseils à l'occupé »

En juillet 1940, Jean Texcier rédigea de sa propre initiative des « Conseils à l'occupé » qui appelaient les Parisiens à conserver leur dignité. Ils circulèrent vite dans la capitale et furent recopiés avec zèle par des gens à qui ils donnaient à nouveau un peu de cœur au ventre.

1. Les camelots leur offrent des plans de Paris et des manuels de conversation ; les cars déversent leurs vagues incessantes devant Notre-Dame et le Panthéon ; pas un qui n'ait, vissé dans l'œil, son petit appareil photographique. Ne te fais pourtant aucune illusion : *ce ne sont pas des touristes.*

2. Ils sont vainqueurs. Sois correct avec eux. Mais ne va pas, pour te faire bien voir, au-devant de leurs désirs. Pas de précipitation. Ils ne t'en sauraient, au surplus, aucun gré.

3. Tu ne sais pas leur langue, ou tu l'as oubliée. Si l'un d'eux t'adresse la parole en allemand, fais un signe d'impuissance, et, sans remords, poursuis ton chemin.

4. S'il te questionne en français, ne te crois pas tenu de le mettre toi-même sur la voie en lui faisant un brin de conduite. Ce n'est pas un compagnon de route.

5. Si au café, ou au restaurant, il tente la conversation, fais-lui comprendre poliment que ce qu'il va te dire ne t'intéresse pas.

6. S'il te demande du feu, tends ta cigarette. Jamais, depuis les temps les plus lointains, on n'a refusé du feu – pas même à son ennemi le plus immortel.

7. S'ils croient habile de verser le défaitisme au cœur des citadins en offrant des concerts sur nos places publiques, tu n'es pas obligé d'y assister. Reste chez toi, ou va à la campagne écouter les oiseaux.

8. Depuis que tu es « occupé », ils paradent en ton déshonneur. Resteras-tu à les contempler ? Intéresse-toi plutôt aux étalages. C'est bien plus émouvant, car, au train où ils emplissent leurs camions, tu ne trouveras bientôt plus rien à acheter.

9. Ton marchand de bretelles a cru bon d'inscrire sur sa boutique : *Man spricht deutsch* ; va chez le voisin, même s'il paraît ignorer la langue de Goethe.

10. Si tu vois une fille en conversation d'affaires avec l'un d'eux, ne t'en offusque pas. Ce garçon en aura juste pour son argent qui ne vaut rien. Et dis-toi bien que les trois quarts des Français ne se montreraient pas, avec cette fille, plus délicats que ce blondin de la Forêt-Noire.

11. Devant le marivaudage d'une de ces femmes que l'on dit honnêtes, avec un de tes occupants, rappelle-toi qu'au-delà du Rhin cette jolie personne serait publiquement fouettée. Alors, en la détaillant, repère soigneusement la tendre place, et savoure d'avance ton plaisir.

12. Si la nécessité veut que tu t'adresses à une de ces sentinelles de bronze qui veillent aux Kommandanturs, ne te crois pas tenu de te découvrir, comme je l'ai vu faire. Porte sobrement l'index à la hauteur du couvre-chef. Sais ménager tes grâces.

[…]

14. La lecture des journaux de chez nous n'a jamais été conseillée à ceux qui voulaient apprendre à s'exprimer correctement en français. Aujourd'hui, c'est mieux encore, les quotidiens de Paris ne sont même plus *pensés* en français.

15. Abandonné par la TSF, abandonné par ton journal, abandonné par ton parti, loin de ta famille et de tes amis, apprends à penser par toi-même.
Mais dis-toi que, dans cette désolation entretenue, la voix qui prétend te donner du courage est celle du Dr Goebbels.

Esprit abandonné, méfie-toi de la propagande allemande !

[...]

17. À l'autre guerre, on les a tout de suite appelés : *les boches*. Ce n'était pas très élégant. Cette fois, on s'est contenté de dire simplement : les Allemands. Progrès certain dans la tenue si, à ce souci de correction, ne s'était mêlé, chez beaucoup, comme un secret désir d'abandon.

18. Aujourd'hui qu'ils sont partout, aux champs comme à la ville, un surnom leur est venu ; les *doryphores*. Se fâcheraient-ils ? On aurait pu, pour la rime que tu sais, choisir le phylloxéra.

[...]

21. Étale une belle indifférence ; mais entretiens secrètement ta colère. Elle pourra servir.

22. Je connais un philosophe qui, las comme toi de les voir circuler à pleins camions, a trouvé un curieux moyen de se consoler. « Nous avons vraiment fait trop de prisonniers ! » soupire-t-il simplement.

[...]

28. Un citoyen romain acheta, pendant qu'Annibalassiégeait la ville, un bout de terrain sur lequel campaient les Carthaginois.

Il savait qu'Annibaln'était là qu'en passant.

29. Une dame que leur vue rendait au début littéralement malade me dit aujourd'hui d'un ton dégagé : « Je crois bien que je finis par ne plus les voir ! »

Quand elle avait si mal au cœur, j'aurais embrassé cette clairvoyante. Maintenant qu'elle digère tout si facilement, j'ai envie de mordre cette somnambule.

30. Tu grognes parce qu'ils t'obligent à être rentré chez toi à 23 heures précises. Innocent, tu n'as pas compris que c'est pour te permettre d'écouter la radio anglaise ? [...]

32. En prévision des gaz, on t'a fait suer sous un groin de caoutchouc et pleurer dans des chambres d'épreuves.

Tu souris maintenant de ces précautions.

Tu es satisfait d'avoir sauvé tes poumons. Sauras-tu maintenant préserver ton cœur et ton cerveau ?

Ne vois-tu pas qu'ils ont réussi à vicier l'atmosphère que tu respires, à polluer les sources auxquelles tu crois pouvoir encore te désaltérer, à dénaturer le sens des mots dont tu prétends encore te servir ?

Voici venue l'heure de la véritable *défense passive*.

Surveille tes barrages contre leur radio et leur presse. Surveille tes blindages contre la peur et les résignations faciles. Surveille-toi. [...]

33. Inutile d'envoyer tes amis acheter ces *Conseils* chez le libraire.

Sans doute n'en possèdes-tu qu'un exemplaire et tiens-tu à le conserver.

Alors, fais-en des copies que tes amis copieront à leur tour.

Bonne occupation pour des occupés.

Jean Texcier,
Conseils à l'occupé, juillet 1940

« Résister ! »

Résistance, Bulletin du Comité national de salut public, *dont le premier numéro sort le 15 décembre 1940, est créé par Boris Vildé et Les Français libres de France (groupe né à l'initiative de Jean Cassou, Claude Aveline et Agnès Humbert). L'éditorial en est à la fois lucide et volontariste.*

Résister ! C'est le cri qui sort de votre cœur à tous, dans la détresse où vous a laissés le désastre de la Patrie. C'est le cri de vous tous qui ne vous résignez pas, de vous tous qui voulez faire votre devoir.

Mais vous vous sentez isolés et désarmés, et dans le chaos des idées, des opinions et des systèmes, vous cherchez où est votre devoir. Résister, c'est déjà garder son cœur et son cerveau. Mais c'est surtout agir, faire quelque chose qui se traduise en faits positifs, en actes raisonnés et utiles. Beaucoup ont essayé, et souvent se sont découragés en se voyant impuissants. D'autres se sont groupés. Mais souvent leurs groupes se sont trouvés à leur tour isolés et impuissants.

Patiemment, difficilement, nous les avons cherchés et réunis. Ils sont déjà nombreux (plus d'une armée pour Paris seulement), les hommes ardents et résolus qui ont compris que l'organisation de leur effort était nécessaire, et qu'il leur fallait une méthode, une discipline, des chefs.

La méthode ? Vous grouper dans vos foyers avec ceux que vous connaissez. Ceux que vous désignerez seront vos chefs. Vos chefs trouveront des hommes éprouvés qui orienteront leurs activités, et qui nous en rendront compte par différents échelons. Notre Comité, pour coordonner vos efforts avec ceux de la France non occupée et ceux qui combattent avec nos Alliés, commandera. Votre tâche immédiate est de vous organiser pour que vous puissiez, au jour où vous en recevrez l'ordre, reprendre le combat. Enrôlez avec discernement les hommes résolus, et encadrez-les des meilleurs. Réconfortez et décidez ceux qui doutent ou qui n'osent plus espérer. Recherchez et surveillez ceux qui ont renié la Patrie et qui la trahissent. Chaque jour réunissez et transmettez les informations et les observations utiles pour vos chefs. Pratiquez une discipline inflexible, une prudence constante, une discrétion absolue. Méfiez-vous des inconséquents,

des bavards, des traîtres. Ne vous vantez jamais, ne vous confiez pas. Efforcez-vous de faire face à vos besoins propres. Nous vous donnerons plus tard des moyens d'action que nous travaillons à rassembler.

En acceptant d'être vos chefs, nous avons fait le serment de tout sacrifier à cette mission, avec dureté, impitoyablement.

Inconnus les uns des autres hier, et dont aucun n'a jamais participé aux querelles des partis d'autrefois, aux Assemblées ni aux Gouvernements, indépendants, Français seulement, choisis pour l'action que nous promettons, nous n'avons qu'une ambition, qu'une passion, qu'une volonté : faire renaître une France pure et libre.

Le Comité national de salut public
Éditorial du premier numéro
du journal clandestin *Résistance*,
15 décembre 1940

Réquisitoire contre Vichy

Libération de zone sud disait, en août 1941, combien les valeurs défendues au nom de la Révolution nationale et la politique conduite par le maréchal Pétain avaient redonné du lustre à la vieille devise de la République française.

Il y a un an, le gouvernement français, renonçant à la lutte, acceptait le plus écrasant armistice qui ait jamais été imposé à un vaincu. Ainsi, la seule armée d'Europe que l'on estimait égale à l'armée allemande, ainsi la « Grande Nation », un peu agaçante parfois, mais éclairée par les restes glorieux de sa générosité passée, s'effondrait aussi vite, aussi complètement que le moindre des petits États. Sur les routes de Picardie, les jeunes nazis, en camions, insultaient joyeusement les longues colonnes de l'armée vaincue. Ces humiliations, nous ne les redirons pas. [...] Cela n'est rien. Nous avons vu rayer notre République, renier notre parole. Un Maréchal de France a été rencontrer Hitler à Montoire au lieu de prendre l'avion pour l'Afrique. Il livre, morceau par morceau, notre empire, donne sa marque, la marque de la France, à une littérature, à une radio aussi platement basses que celles de Berlin. Il laisse dans une ville d'opérette se dérouler depuis un an la plus grotesque, la plus odieuse des comédies qu'on ait jamais vues. Il se déshonore par des lois infâmes, un statut des Juifs, les camps de concentration, la Légion des mouchards, et toute cette boue où il va chercher et rejette périodiquement ses ministres. Mais peu importe, le tricolore dont il se drape est une teinture erzats. Il a bien fait d'abolir la République : le monde ne reconnaît pas Vichy.

Les Allemands se sont donnés assez souvent en exemple pour que nous sachions au moins les imiter dans leur courageuse action : la résistance passive. Que le Français n'oublie pas la leçon de la Ruhr. Que chaque jour il s'exerce à trouver une attitude, un geste individuel qui symbolise la résistance. C'est le total de ces affirmations personnelles, – si minimes soient-elles –, qui rendra la vie dure au vainqueur et contraindra un gouvernement d'abandon à tenir compte de l'opinion nationale.

Les moyens ne nous manquent pas : le travail au ralenti dans les usines ; le refus à tous les degrés, dans tous les domaines, d'une solidarité quelconque avec l'envahisseur ou ses complices. Laissons vides ses librairies, invendus ses illustrés : son *Signal*, sa *Semaine* ou son *Gringoire*. Nous n'avons pas de faveur à lui mendier. Si bons garçons que soient individuellement ses soldats,

environnons-les chacun d'une sphère de glace. Ils ont violé le sol et l'âme de nos peuples : qu'ils sentent la vengeance subtile des choses et des morts, des morts de l'autre guerre et de celle-ci, qui chemine en silence à leur côté. Ils n'ont droit ni au sourire de nos femmes, ni aux jeux de nos enfants. [...]

Comme la fin du monde dans l'Évangile, la débâcle allemande arrivera en coup de tonnerre. [...] Il s'agit que cette ruine soit rapide, irrémédiable, – et qu'elle ne nous entraîne pas. Cela sera notre œuvre. Nous y préparer est la double tâche de notre Directoire. Par l'Action, au moyen de groupes spéciaux, se déclenchant à l'heure dite, – on conçoit que nous ne puissions préciser ici. Par la réflexion, le travail commun au sein de nos groupes qui doivent constituer une armature parmi d'autres, carcasse solide dans la confusion idéologique et sociale de nos pays.

[...] Nous aurons du moins appris à connaître le sens plein d'une devise trop souvent galvaudée, et qu'un maréchal pressé a cru devoir jeter aux orties : LIBERTÉ, valeur centrale de notre culture, qui doit être autrement comprise et plus profondément pensée qu'elle ne l'était avant guerre. ÉGALITÉ, – égalité des hommes et des races, sans qu'aucune des doctrines d'asservissement ressuscitées par nos nouveaux « aryens » vienne renouer les plus monstrueuses traditions de l'esclavage. FRATERNITÉ, notre fraternité dont les pays unis sous le joug hitlérien ont appris à connaître la vraie valeur ; fraternité avec les petites et grandes nations qui souffrent et combattent à nos côtés.

Éditorial du numéro 2 de la feuille clandestine *Libération* de zone sud, « organe du Directoire des Forces de Libération Françaises », août 1941

« Cette paradisiaque période d'enfer »

Français libre de la première heure, clandestin en mission en France occupée aux côtés des résistants de l'intérieur à partir d'août 1943, Jacques Bingen a laissé des lettres comme on sème des cailloux sur une sente périlleuse. Échelonnées entre juillet 1940 et avril 1944, un mois avant sa mort, elles dévoilent les sentiments intimes qui l'ont poussé à brûler tous ses vaisseaux et à braver le danger pour éprouver finalement un sentiment de plénitude qu'il a su formuler comme rarement.

Du «French Lieutenant Bingen» aux autorités britanniques, Gibraltar, 6 juillet 1940

Here I am, escaped safely from Naziland and ready to join the British Empire and fight Hitler to his end […]. I have lost all I had, my money (not a penny left !), my job, my Family who remained in France and whom I perhaps never see again, my country and my beloved Paris […]. But I remain a free man in a free country and that is more than all.

À ses amis, 14 août 1943

Si cette enveloppe est ouverte, c'est que je serai mort pour la France et pour la cause alliée.

Je demande que mes Amis sachent que je suis tombé en mission volontaire, ayant librement choisi ma voie.

C'est la pensée de mes Amis qui a dicté mon choix : amis de toujours, prisonniers ou déportés en Allemagne, amis anciens et nouveaux tombés en France sur le front intérieur ou qui y poursuivent un combat dangereux et inégal où je crois pouvoir les aider. […]

Il est superflu que j'ajoute que je crois à la cause sacrée que je pars servir dangereusement après l'avoir servie à Londres de toutes mes facultés intellectuelles. Je prie qu'on dise au général de Gaulle toute l'admiration que, peu à peu, j'ai acquise pour lui. Il a été l'émanation même de la France pendant ces dures années.

Je le supplie de conserver sa noblesse et sa pureté mais de ne pas oublier après la radieuse victoire que, si la France est une grande dame, les Français seront très fatigués. Il faudra qu'il ait pour eux, non seulement beaucoup d'ambition, mais aussi beaucoup d'indulgente tendresse…

À sa mère, 15 août 1943

Ceci n'est pas une lettre gaie puisque si tu la lis, c'est que, comme mon frère il y a vingt-sept ans, je serai mort au combat, accomplissant comme lui autrefois ce que je sais être le devoir. Comme lui, je pars volontaire et cela, je veux que tu le saches bien et le dises à chacun. Je trahirais l'idéal pour lequel j'ai quitté la France en juin 1940 si je restais à Londres, assis dans un fauteuil jusqu'à la victoire, et je trahirais mon devoir si j'abandonnais dans d'autres conditions que je ne le fais le poste que j'occupe ici. Je veux lutter dangereusement pour les idéaux de liberté qui, tu le sais, m'ont toujours inspiré. J'ai acquis dans l'épreuve un amour de la France plus fort, plus immédiat, plus tangible que tout ce que j'ai éprouvé autrefois, quand la vie était douce et, somme toute, facile. Et voici que mon départ, par une chance inattendue, peut servir la France autant que celui de beaucoup de soldats… Enfin, accessoirement, j'ai la volonté de venger tant de juifs torturés et assassinés par une barbarie dont l'histoire n'offre pas de précédents. Il est bien qu'un juif de plus – il y en a tant déjà, si tu savais ! prenne sa part entière dans la libération de notre patrie…

À Claude Bouchinet-Serreulles, 4 déc. 1943

Mon vieux Claude,

Je ne sais pas, comme toi, dire beaucoup de choses en peu de mots. Ton départ est pour moi l'écroulement d'un Monde : ensemble nous étions forts, joyeux, solides ; seul, je sais que je vais peiner à la tâche, soutenu par la pensée de ce que toi tu as su faire seul.

Tu sais – et je te prie de le dire à Charles – que je ferai tous mes efforts pour être digne de notre équipe, l'équipe du 73, et de sa mission.

Que d'étapes déjà franchies fraternellement ! Sache bien que mon affection pour toi s'est transformée en une admiration réfléchie ; tu m'es très cher.

Bon courage, vieux Claude. Sois calme et fort et net là-bas comme tu le fus ici. Tu as une mission à remplir qui n'est ni moins difficile ni moins nécessaire que la mienne. Il faut que tu reviennes ici, à ton poste et pas ailleurs.

Dis-toi bien que ton devoir est d'abattre tous les obstacles ; tant pis si ta route est ardue, marécageuse, semée de chausse-trappes. C'est dans l'adversité que se révèlent les vrais caractères ; à toi de donner une nouvelle preuve de ta solidité ; à toi de parcourir allègrement et sans faiblir ton chemin de Passy !

Je t'embrasse avec Janine,
mes deux amis
J

Mes pensées seront avec vous deux pendant les douze coups de minuit, le 31 décembre.

Comme l'année 43 fut belle !

14 avril 1944

J'écris ce soir ces quelques pages parce que, pour la première fois, je me sens réellement menacé, et qu'en tout cas les semaines à venir vont apporter, sans doute au pays tout entier, et certainement à nous, une grande, sanglante et, je l'espère, merveilleuse aventure.

Au cas où, après la libération, je ne pourrais me faire entendre, je veux que ce papier apporte à quelques-uns le « point » de quelques-unes de mes réflexions récentes ou actuelles. […]

Je désire, sur le plan moral, que ma mère, ma sœur, mes neveux, ma nièce […] ainsi que mes amis les plus chers, hommes et femmes, sachent bien combien j'ai été prodigieusement heureux durant ces derniers huit mois.

Il n'y a pas un homme sur mille qui pendant huit jours de sa vie, ait connu le bonheur inouï, le sentiment de plénitude que j'ai éprouvé en permanence depuis huit mois.

Aucune souffrance ne pourra jamais retirer l'acquis de la joie de vivre que je viens d'éprouver si longtemps. […]

Que Sophie [Claude Bouchinet-Serreulles] aussi sache que son amitié […] a beaucoup contribué à ma vision heureuse de cette paradisiaque période d'enfer.

« Ce que résister veut dire »

Quel sens donner à l'acte de résister, y compris en prenant en compte ses limites ? Dans Les Cahiers de la Libération *en février 1944, Paulhan livrait une réponse à la fois ferme et nuancée. Dans les* Lettres françaises *à la Libération, Sartre réfléchissait à la signification de la partie qui s'était jouée, non sans céder à la vision d'une France unanimement résistante. Camus et Canguilhem, quant à eux, étaient beaucoup plus circonspects et exaltaient les vrais résistants morts à la tâche clandestine.*

« L'Abeille »

Si nous avions été occupés (comme on dit poliment) par des Suédois, il nous resterait du moins un pas de danse, un goût des rubans jaune et bleu ; par des Javanais, une façon d'agiter les doigts ; par des Hottentots, des Italiens et des Hongrois, il nous resterait une chanson, un sourire, une petite secousse de tête. Enfin, l'une de ces manières absurdes qui ne veulent rien dire de précis – qui signifient simplement qu'on est content de vivre, qu'on préfère ça à ne pas vivre du tout, et qu'il est amusant (en particulier) d'avoir un corps dont on peut tirer tant de fantaisie.

Mais d'eux, chacun voit bien qu'il ne nous restera rien. Pas un chant, pas une grimace. Même le gosse de la rue ne songe pas à imiter le pas de l'oie. Dans le métro qui est devenu, avec l'épicerie, notre façon de vivre en commun, ils ne bousculent jamais personne, comme il nous arrivera, hélas, de le faire encore. Ils ramassent même les paquets qu'une étourdie laisse tomber. Pourtant, ils ne nous donnent pas envie de ramasser les paquets. Ils ne sont pas animés. Ils auront passé comme un grand vide. Comme s'ils étaient déjà morts. Seulement cette mort, ils la répandent autour d'eux. C'est même la seule chose qu'ils sachent faire.

Qu'ils nous semblent à ce point transparents, on dit parfois que c'est un effet de notre dignité. Je voudrais bien. Je vois dans les livres (des meilleures éditions) qu'une honnête Française peut abriter six mois dans sa maison l'occupant le plus noble (et même devenir vaguement amoureuse de lui) sans lui dire une seule fois bonjour. Mais il s'agit sans doute d'une Française exceptionnelle. Moi, je ne me sens pas si digne (ni si vite amoureux). Puis, les Français, en général, n'ont pas été si dignes.

Il ne faut pas oublier que la France, en principe, ne se bat pas. C'est une sorte de pays neutre, dont la capitale est Vichy. Et nous ne nous gênons pas – heureusement ! – pour dire des gens de Vichy la vérité : c'est qu'ils sont des salauds. N'empêche que nous sommes vaguement solidaires d'eux : il y a, en chacun de nous, une part qui – à regret – les comprend ; qui ne les tient pas pour de purs et simples fous : qui va parfois jusqu'à se demander si Vichy n'a pas été une ruse pour sauver l'Algérie et Pétain un monstre d'astuce (et se reproche aussitôt de se l'être demandé) ; qui se trouve forcée d'ailleurs de tenir compte d'eux. Puisque celui d'entre nous qui se bat, c'est sans y être obligé. C'est avec tout le mérite et la pure grandeur du soldat (que les guerres officielles risquaient de nous cacher).

Donc, celui du moins qui ne se bat pas accepterait de s'amuser (s'ils étaient amusants). De s'instruire (s'ils nous apprenaient quoi que ce soit). Mais on voit que de ce côté-là aussi (dont il n'y a pas à être fiers) nous sommes déçus. Que tout se passe comme s'ils étaient déjà des morts. Mais – j'y reviens – c'est une mort qu'ils nous communiquent.

Quand j'étais enfant, je m'étonnais (comme tous les enfants) de trouver dans les éphémérides beaucoup plus de morts que de naissances. L'explication – mais l'on n'y songe que plus tard – est évidemment qu'il est rare, les rois exceptés, que l'on soit très connu à sa naissance ; au lieu qu'un homme célèbre, il ne lui reste plus qu'à mourir. J'avais aussi le sentiment que tout cela venait de changer, le monde était plutôt aux naissances. [...]

C'est là un sentiment absurde ; je crois cependant que je l'ai vaguement conservé, qu'il est commun, qu'il entre pour sa part dans la douleur d'un temps où nous apprenons chaque mois la mort de quelque ami. L'un tenait le maquis, on a retrouvé son corps, dans un champ, déjà gonflé. Un autre faisait des tracts, un autre encore transmettait des notes : ils ont été troués de balles, quand ils chantaient. D'autres ont souffert, avant la mort, des tortures qui passent en horreur les souffrances du cancéreux et du tétanique.

Et je sais qu'il y en a qui disent : ils sont morts pour peu de chose. Un simple renseignement (pas toujours très précis) ne valait pas ça, ni un tract, ni même un journal clandestin (parfois mal composé). À ceux-là il faut répondre :

« C'est qu'ils étaient du côté de la vie. C'est qu'ils aimaient des choses aussi insignifiantes qu'une chanson, un claquement des doigts, un sourire. Tu peux serrer dans ta main une abeille jusqu'à ce qu'elle étouffe. Elle n'étouffera pas sans t'avoir piqué. C'est peu de chose, dis-tu. Oui, c'est peu de chose. Mais si elle ne te piquait pas, il y a longtemps qu'il n'y aurait plus d'abeilles. »

Juste [Jean Paulhan],
Les Cahiers de la Libération,
n° 3, février 1944

La République du silence

Jamais nous n'avons été plus libres que sous l'occupation allemande. Nous avions perdu tous nos droits et d'abord celui de parler ; on nous insultait en face chaque jour et il fallait nous taire ; on nous déportait en masse, comme travailleurs, comme Juifs, comme prisonniers politiques ; partout sur les murs, dans les journaux, sur l'écran, nous retrouvions cet immonde et fade visage que nos oppresseurs voulaient nous donner de nous-mêmes : à cause de tout cela nous étions libres. Puisque le venin nazi se glissait jusque dans notre pensée, chaque pensée juste était une conquête ; puisqu'une police toute-puissante cherchait à nous contraindre au silence, chaque parole devenait précieuse comme une déclaration de principe ; puisque nous étions traqués, chacun de nos gestes avait le poids d'un engagement. Les circonstances souvent atroces de notre combat nous mettaient enfin à même de vivre, sans fard et sans voile, cette situation déchirée, insoutenable qu'on appelle la condition humaine. L'exil, la captivité, la mort surtout que l'on masque habilement dans les époques heureuses, nous en faisions les objets perpétuels de nos soucis, nous apprenions que ce ne sont pas des accidents évitables, ni même des menaces constantes mais extérieures : il fallait y voir notre *lot*, notre destin, la source profonde de notre réalité d'homme ; à chaque seconde nous vivions dans sa plénitude le sens de cette petite phrase banale : « Tous les hommes sont mortels. » Et le choix que chacun faisait de lui-même était authentique puisqu'il se faisait en présence de la mort, puisqu'il aurait toujours pu s'exprimer sous la forme « Plutôt la mort que… ». Et je ne parle pas ici de cette élite que furent les vrais Résistants, mais de tous les Français qui, à toute heure du jour et de la nuit, pendant quatre ans, ont dit *non*. La cruauté même de l'ennemi nous poussait jusqu'aux extrémités de notre condition en nous contraignant à nous poser ces questions qu'on élude dans la paix : tous ceux d'entre nous – et quel Français ne fut une fois ou l'autre dans ce cas ? – qui connaissaient quelques détails intéressant la Résistance se demandaient avec angoisse : « Si on me torture, tiendrai-je le coup ? » Ainsi la question même de la liberté était posée et nous étions au bord de la connaissance la plus profonde que l'homme peut avoir de lui-même. Car le secret d'un homme, ce n'est pas son complexe d'Œdipe ou d'infériorité, c'est la limite même de sa liberté, c'est son pouvoir de résistance aux supplices et à la mort. À ceux qui eurent une activité clandestine, les circonstances de leur lutte apportaient une expérience nouvelle : ils ne combattaient pas au grand jour, comme des soldats ; traqués dans la solitude, arrêtés dans la solitude, c'est dans le délaissement, dans le dénuement le plus complet qu'ils résistaient aux tortures : seuls et nus devant des bourreaux bien rasés, bien nourris, bien vêtus qui se moquaient de leur chair misérable et à qui une conscience satisfaite, une puissance sociale démesurée donnaient toutes les apparences d'avoir raison. Pourtant, au plus profond de cette solitude, c'étaient les autres, tous les autres, tous les camarades de résistance qu'ils défendaient ; un seul mot suffisait pour provoquer dix, cent arrestations. Cette responsabilité totale dans la solitude totale, n'est-ce pas le dévoilement même de notre liberté ? Ce délaissement, cette solitude, ce risque énorme étaient les mêmes pour tous, pour les chefs et pour les hommes ; pour ceux qui portaient des messages dont ils ignoraient le contenu comme pour ceux qui décidaient de toute la résistance, une sanction unique : l'emprisonnement, la déportation, la mort. Il n'est pas d'armée au monde où l'on trouve pareille égalité de risques pour le soldat et le généralissime. Et c'est pourquoi la Résistance fut une démocratie véritable : pour le soldat comme pour le chef, même danger, même responsabilité, même absolue liberté dans la discipline. Ainsi, dans l'ombre et dans le sang, la plus forte des Républiques s'est constituée. Chacun de ses citoyens savait qu'il se devait à tous et qu'il ne pouvait compter que sur lui-même ; chacun d'eux réalisait, dans le délaissement le plus total, son rôle historique. Chacun d'eux, contre les oppresseurs, entreprenait d'être lui-même, irrémédiablement et en se choisissant lui-même dans sa liberté, choisissait la liberté de tous. Cette république sans institutions, sans armée, sans police, il fallait que chaque Français la conquière et l'affirme à chaque instant contre le nazisme. Nous voici à présent au bord d'une autre République : ne peut-on souhaiter qu'elle conserve au grand jour les austères vertus de la République du Silence et de la Nuit.

Jean-Paul Sartre, *Les Lettres françaises*, 9 septembre 1944, reproduit dans *Situations, III, lendemains de guerre*, Gallimard, 1949

Le combat d'André Bollier

Albert Camus achevait des notes manuscrites sur l'histoire de Combat clandestin, *à la rédaction duquel il avait été étroitement associé, par cette méditation sur le sacrifice d'AndréBollier, alias Vélin et Carton, maître d'œuvre de la fabrication du journal, tombé les armes à la main le 17 juin 1944 face à la Gestapo et à la milice qui cernaient son imprimerie de la rue Viala à Lyon.*

Ici s'arrête l'histoire du journal proprement clandestin. *Combat* avait publié 56 numéros pendant ces 4 ans.

Ma seule ambition est d'avoir pu vous faire imaginer un peu ce que représentait chacun de ces numéros. Il n'y a pas de doute qu'ils nous ont coûté d'abord les meilleurs d'entre nous. Car si nous sommes quelques-uns à avoir survécu à Bollier, c'est seulement que nous avons fait moins que Bollier et que lui a fait tout ce qu'il était convenable de faire à ce moment. Je sais que sur ce sujet la littérature devient facile. Et beaucoup cèdent à la tentation de dire que nos camarades morts nous dictent notre devoir d'aujourd'hui et de toujours. Mais naturellement, nous savons bien que ce n'est pas vrai. Et que ces morts ne peuvent plus rien pour nous comme nous ne pouvons plus rien pour eux. C'est une perte sèche. Ce n'est pas maintenant qu'il convient de les aimer ostensiblement. C'était au temps où ils étaient vivants. Et notre plus grande amertume est peut-être de ne pas les avoir assez aimés alors, parce

que la fatigue et l'angoisse de ces jours de lutte nous donnaient des distractions. Non, nous ne pouvons plus rien pour eux qui se sont battus. Du moins, nous sommes quelques-uns encore à garder au fond du cœur le souvenir de ces visages fraternels et à les confondre un peu avec le visage de notre pays. Nous leur donnons ainsi les seules choses que sans doute ils auraient admises, les seules choses qu'un individu puisse donner à ceux qui l'ont aidé à se faire une plus haute idée de l'homme en général et de son pays en particulier, les seules choses qui seront à la hauteur de cette dette inépuisable contractée envers eux et qui sont le silence et la mémoire.

Albert Camus, reproduit dans *Camus à Combat*, Gallimard, 2002

La morale de Jean Cavaillès

Convié à inaugurer l'amphithéâtre Jean-Cavaillès à la nouvelle faculté des Lettres de Strasbourg le 9 mai 1967, Georges Canguilhem décryptait ainsi le parcours silencieux de son camarade de la rue d'Ulm fusillé par les Allemands en janvier 1944.

En un sens, Cavaillès n'a pas assez écrit pour qu'on puisse le résumer ; en un autre sens, il en a assez dit pour qu'on puisse saisir, en dépit de l'interruption tragique, le sens de son discours philosophique. [...] D'ordinaire, pour un philosophe, entreprendre d'écrire une morale, c'est se préparer à mourir dans son lit. Mais Cavaillès, au moment même où il faisait tout ce qu'on peut faire quand on veut mourir au combat, composait une logique. Il a donné ainsi sa morale, sans avoir à la rédiger.

Georges Canguilhem, *Vie et mort de Jean Cavaillès*, Éditions Allia, 1996

« La cité clandestine de l'honneur »

Les résistants ont peu écrit sur l'action clandestine dans laquelle ils étaient immergés. La sécurité leur dictait cette retenue. Par bonheur pour nous, il y a eu des infractions à cette règle, chacun usant du registre qui lui convenait le mieux pour décrire le quotidien de ce que Pascal Copeau appelait « la cité clandestine de l'honneur » : journal intime, poème et, bien sûr, dernière lettre du condamné à ses proches.

Agnès Humbert et les premiers pas du groupe du musée de l'Homme

Pionnière de la Résistance de zone nord, l'historienne d'art Agnès Humbert, qui travaillait au musée des Arts et Traditions populaires, a tenu au jour le jour jusqu'à son arrestation, en avril 1941, la chronique des efforts de la petite troupe dont elle faisait partie.

Paris, 18 août 1940

Est-ce une idée ? J'ai trouvé Jean Cassou beaucoup moins affaissé que la semaine dernière. J'ai reconnu le Jean Cassou de 36. Hier, Madeleine Le Verrier m'a prêté un tract qu'on vient de lui donner, je l'ai recopié. Cassou l'avait déjà vu en plusieurs endroits. Les rédacteurs des 33 *Conseils à l'occupé* sauront-ils jamais ce qu'ils ont fait pour nous, et sans doute pour des milliers d'autres ? L'étincelle dans la nuit... Nous sommes sûrs maintenant de ne pas être seuls. Il y a d'autres gens qui pensent comme nous, qui souffrent, qui organisent la lutte, bientôt un réseau s'étendra dans toute la France, notre petite dizaine sera un maillon de la grande chaîne. Nous sommes véritablement heureux.

Cassou me raconte que Marcel Abraham l'a blagué lorsqu'il lui a expliqué notre projet... Mais, naturellement, il a adhéré immédiatement... Voici plus de dix ans qu'il s'est mêlé de près à la vie politique. Très actif, il connaît tout Paris et sera un conseiller précieux. Il a également pris contact avec l'écrivain Claude Aveline ; nous le connaissons tous de longue date, il y a longtemps que nous apprécions la sincérité de ses convictions, son intelligence et son talent ; il est avec nous ainsi que l'éditeur Émile-Paul et son frère ; leur maison n'est pas à l'heure allemande, ne pas avancer l'horloge du bureau a été leur première manifestation. Dès juin, ils ont pris nettement parti pour la résistance, acceptant de tout cœur de nous recevoir chaque semaine dans leur bureau, 14, rue de l'Abbaye. C'est donc là que la « conspiration » va s'organiser.

Paris, 25 septembre 1940

Notre premier tract ronéotypé, *Vichy fait la guerre,* a été tiré à des milliers d'exemplaires. Des Français ont tiré sur des Français à Dakar. C'est le début de la guerre civile qui aidera à notre libération. Cassou a rédigé ce petit pamphlet mordant, spirituel, très court. Il a l'avantage d'être facilement recopié.

Nous avons déjà fait un grand pas depuis notre premier tract dactylographié publié le 19 septembre…

Le Dr Rivet m'a mise en rapport avec son attaché, Boris Vildé, c'est lui qui est le meneur de l'activité anti-allemande au musée de l'Homme. Je connais un peu Vildé, du temps où j'étais secrétaire à la commission scientifique de l'APECS (Association pour l'étude de la culture soviétique) ; Vildé nous avait fait une conférence sur les explorations arctiques. J'avais déjà apprécié sa froide et lumineuse intelligence, sa personnalité exceptionnelle. Je suis heureuse et fière de me rapprocher de lui. Russe – enfant de la Révolution – puisqu'il n'a que trente-trois ans, il gagne sa vie depuis l'âge de onze ans. Cette vie n'a été qu'une prodigieuse aventure. Naturalisé français, il vient de faire la guerre. Prisonnier, il s'est sauvé malgré une blessure au genou. Il a parcouru trois cents kilomètres à pied, et le voici maintenant travaillant ferme. Le docteur me dit : « Vildé est fils de la Révolution, il a la Révolution en lui, il connaît la technique révolutionnaire. » Malgré les réticences, je comprends que Boris, par l'ambassade des États-Unis, espère gagner l'oreille de l'Intelligence Service. Il me dit qu'il faut avant tout fonder un journal. Jean Cassou en sera le rédacteur en chef. Je lui explique ma façon de diffuser et d'intéresser notre petit public. Je ne risque rien que de me faire prendre seule, puisque je ne me découvre que personnellement ; je prétends avoir reçu ces tracts le matin même, anonymement par la poste ; tracts qui seront recopiés et diffusés dans des milieux très différents. Mon auxiliaire le plus pittoresque est une concierge, Mme Homs. Accrochée toute la journée à la radio de Londres, elle brûle de « servir ». Du fond de sa loge, elle distribue les tracts avec beaucoup d'adresse. Une de ses locataires les reproduit à de très nombreux exemplaires. Un pharmacien et sa femme sont aussi d'excellents diffuseurs. Par leurs soins, les tracts sont recopiés, envoyés à Fontainebleau où ils sont ronéotypés. Nous en « oublions » dans les métros, dans les bureaux de poste, dans les boîtes aux lettres. Mme Jean Cassou en glisse sous les coupons de tissu des grands magasins, partout, une main les trouve, des yeux avides les lisent.

J'ai en vue un tas d'autres gens à entraîner pour la bonne cause. Jeudi, Vildé viendra après la fermeture du musée à la Brasserie du Coq, place du Trocadéro, faire la connaissance de Jean Cassou. Je savoure, dès maintenant, le plaisir de les présenter l'un à l'autre. Ce soir, lorsqu'il fera nuit, j'irai coller aux murs de mon quartier toute une envolée de « papillons » que j'ai fabriqués avec des étiquettes encollées. Sur ces étiquettes, à l'aide de la machine à gros caractères du musée, j'ai écrit : « Vive le général de Gaulle ». J'ai distribué des papillons semblables à tous nos amis qui s'amusent comme des gosses à l'idée de les apposer, qui dans une pissotière, qui dans une cabine téléphonique, qui dans les couloirs du métro… Maurice Braudey, le seul gardien du musée qui soit des nôtres, fait mieux : il suit les camions allemands avec sa bicyclette et y accroche soigneusement de petites pancartes sur lesquelles j'ai tapé – toujours avec cette machine à gros caractères : « Nous sommes pour le général de Gaulle ». Maurice Braudey distribue aussi des tracts en banlieue, dans les milieux ouvriers où il milite depuis des années.

Paris, 20 octobre 1940

[…] Nos réunions du mardi soir dans les bureaux d'Émile-Paul sont précieuses. Chacun y apporte des nouvelles ; circulant de bouche à oreille, elles ne sont certes pas gaies. Cependant, dites par Marcel, Claude ou Jean, elles prennent un je-ne-sais-quoi de parisien, de gavroche qui nous fait tous rire.

Jean Cassou a largement sympathisé avec Vildé. Claude Aveline, d'autre part, vient également de faire sa connaissance. Tous deux sentent comme moi que Vildé est en rapport avec une très puissante organisation. Est-ce l'Intelligence Service ? est-ce le Deuxième Bureau, ou bien un groupement français né des événements actuels ? Nous l'ignorons. Nous admettons tous qu'il ne faut pas poser de questions. Vildé a notre confiance, à lui de nous guider. Nous insufflons notre foi en lui à nos camarades qui ne le connaissent pas. Nous avons compris qu'il va chercher des Anglais dans le Nord et qu'il les conduit ou les fait conduire en zone libre… de là en Espagne et au Portugal, où ils sont rapatriés… Il a parlé aussi de jeunes Français suivant le même chemin pour rejoindre l'armée de De Gaulle.

Quelle étrange situation que la nôtre ! Nous voilà tous gens ayant, pour la plupart, dépassé la quarantaine, courant comme des étudiants enthousiastes et fervents derrière un chef dont nous ne savons rien, dont aucun de nous n'a vu la photographie. Jamais, au cours de l'Histoire, a-t-on constaté rien de semblable ? des milliers et des milliers de gens suivant, pleins d'une foi aveugle, un inconnu. Peut-être même que cet étrange anonymat le sert : la mystique de l'inconnu !

Agnès Humbert,
Notre guerre. Souvenirs de Résistance,
Tallandier, 2004

**Dernière lettre de Lucien Legros,
8 février 1943**

Le 8 février 1943, condamnés à mort pour faits de résistance, Jean-Marie Arthus, Jacques Baudry, Pierre Benoît, Pierre Grelot, Lucien Legros, élèves du lycée Buffon, étaient fusillés au stand de tir d'Issy-les-Moulineaux.

Mes parents chéris,
Mon frère chéri,
Je vais être fusillé à 11 heures avec mes camarades. Nous allons mourir le sourire aux lèvres car c'est pour le plus bel idéal. J'ai le sentiment à cette heure d'avoir vécu une vie complète.

Vous m'avez fait une jeunesse dorée ; je meurs pour la France, donc je ne regrette rien. Je vous conjure de vivre pour les enfants de Jean.

Reconstruisez une belle famille…

Jeudi j'ai reçu votre splendide colis : j'ai mangé comme un roi. Pendant ces quatre mois, j'ai longuement médité : mon examen de conscience est positif, je suis en tous points satisfait.

Bonjour à tous les amis et à tous les parents.

Je vous serre une dernière fois sur mon cœur.

Lucien

« Au rendez-vous allemand »

Ramassé, aisément mémorisable et donc transmissible, ce poème de Paul Eluard n'était pas seulement un hommage à Lucien Legros et à ses camarades. C'était aussi un instrument de lutte destiné à donner du sens à la mort redoutée qui guettait tous les résistants.

AVIS
La nuit qui précéda sa mort
Fut la plus courte de sa vie

L'idée qu'il existait encore
Lui brûlait le sang aux poignets
Le poids de son corps l'écœurait
Sa force le faisait gémir
C'est tout au fond de cette horreur
Qu'il a commencé à sourire
Il n'avait pas UN camarade
Mais des millions et des millions
Pour le venger il le savait
Et le jour se leva pour lui

Paul Eluard,
Au Rendez-vous allemand,
Éditions de Minuit, 1945

Silence complice et solidaire

*Chef d'un maquis, René Char a couché
sur le papier les pensées que lui inspirait
la lutte armée qu'il dirigeait et des scènes
dont il était le témoin.*

*Le boulanger n'avait pas encore dégrafé
les rideaux de fer de sa boutique que déjà
le village était assiégé, bâillonné,
hypnotisé, mis dans l'impossibilité
de bouger. Deux compagnies de SS et
un détachement de miliciens le tenaient
sous la gueule de leurs mitrailleuses
et de leurs mortiers. Alors commença
l'épreuve.*

Les habitants furent jetés hors des
maisons et sommés de se rassembler sur
la place centrale. Les clés sur les portes.
Un vieux, dur d'oreille, qui ne tenait
pas compte assez vite de l'ordre, vit les
quatre murs et le toit de sa grange voler
en morceaux sous l'effet d'une bombe.
Depuis quatre heures j'étais éveillé.
Marcelle était venue à mon volet me
chuchoter l'alerte. J'avais reconnu
immédiatement l'inutilité d'essayer
de franchir le cordon de surveillance
et de gagner la campagne. Je changeai
rapidement de logis. La maison
inhabitée où je me réfugiai autorisait,
à toute extrémité, une résistance armée

efficace. Je pouvais suivre de la fenêtre,
derrière les rideaux jaunis, les allées
et venues nerveuses des occupants. Pas
un des miens n'était présent au village.
Cette pensée me rassura. À quelques
kilomètres de là, ils suivraient mes
ordres et resteraient tapis. Des coups me
parvenaient, ponctués d'injures. Les SS
avaient surpris un jeune maçon qui
revenait de relever des collets. Sa frayeur
le désigna à leurs tortures. Une voix se
penchait hurlante sur le corps tuméfié :
« Où est-il ? Conduis-nous », suivie
de silence. Et coups de pied et coups de
crosse de pleuvoir. Une rage insensée
s'empara de moi, chassa mon angoisse.
Mes mains communiquaient à mon arme
leur sueur crispée, exaltaient sa
puissance contenue. Je calculais que
le malheureux se tairait encore cinq
minutes, puis, fatalement, il *parlerait*.
J'eus honte de souhaiter sa mort avant
cette échéance. Alors apparut jaillissant
de chaque rue la marée des femmes,
des enfants, des vieillards, se rendant
au lieu de rassemblement, suivant un
plan concerté. Ils se hâtaient sans hâte,
ruisselant littéralement sur les SS,
les paralysant « en toute bonne foi ».
Le maçon fut laissé pour mort. Furieuse,
la patrouille se fraya un chemin à travers
la foule et porta ses pas plus loin. Avec
une prudence infinie, maintenant des
yeux anxieux et bons regardaient dans
ma direction, passaient comme un jet de
lampe sur ma fenêtre. Je me découvris
à moitié et un sourire se détacha de ma
pâleur. Je tenais à ces êtres par mille fils
confiants dont pas un ne devait se
rompre.

J'ai aimé farouchement mes
semblables cette journée-là, bien au-delà
du sacrifice.

René Char,
Feuillets d'Hypnos,
Gallimard, 1946

La mémoire déchirée, meurtrie et lumineuse

Très tôt après la Libération, sans désemparer ensuite, les résistants ont témoigné sur l'aventure qu'ils avaient façonnée et vécue. Toutefois, l'idée que leur expérience était de l'ordre de l'intime et pouvait difficilement être transmise à ceux qui n'en avaient pas été n'aura cessé de les habiter tout comme le sentiment – parfois amer – de laisser un héritage sans descendants.

« Comme un jardin secret où parfois, seul, je pénètre... »

S'apprêtant à publier en 1950 la suite de ses Mémoires, *le colonel Passy en communiqua le manuscrit à Henri Frenay en lui proposant d'y inclure les observations qu'il souhaiterait faire. Henri Frenay répondit par une lettre datée du 13 juillet 1950 qui suggère la difficulté de bien des résistants à exposer sur la place publique leurs souvenirs de la lutte clandestine. Ce courrier donne à voir une vision très élitiste, très éloignée du mythe résistancialiste dans lequel toute la France aurait alors communié et baigné...*

Depuis la libération j'ai été fréquemment tenté ou sollicité d'écrire mes mémoires sur la Résistance que j'ai vécue depuis ses origines. Après maintes hésitations j'y ai finalement renoncé. Pendant cette période, qui fut par son intensité le point culminant de mon existence, j'ai vu bien des choses. Les unes étaient belles, d'autres ne l'étaient pas. Dans mes souvenirs sont étroitement liés l'héroïsme et la lâcheté, l'ambition et le désintéressement, la médiocrité et la grandeur. Bien que nous ayons été haussés par les événements au-dessus de nous-mêmes, nous n'étions cependant que des hommes de chair et de sang avec leurs faiblesses et leurs erreurs.

Fallait-il impitoyablement passer au microscope ces actions dont l'ensemble fut une épopée, mais dont le détail était fait parfois de petitesse et de mesquinerie ? Fallait-il montrer que des hommes qui furent courageux devant la mort comme ils l'avaient été dans notre existence clandestine ne surent pas élever leur esprit au niveau des graves événements que nous avons connus ? Je n'en ai pas eu le courage. C'eût été peut-être une mauvaise action. La force des peuples repose souvent sur des légendes. Je n'ai pas voulu dissiper, même partiellement, celle dont je fus à la fois l'acteur et le témoin. Et puis la Résistance, la vraie, celle des premières années, celle que peu d'hommes ont connue, est pour moi comme un jardin secret où parfois, seul, je pénètre. On ne m'en voudra pas de n'y pas faire entrer sur mes traces la foule des dimanches. Je n'aime pas les profanations.

Colonel Passy, *Mémoires du chef des services secrets de la France Libre,* Odile Jacob, 2000

« La mémoire courte »

En 1953, déplorant que la Résistance soit passée par profits et pertes, Jean Cassou publie un superbe essai fondé sur l'idée que « l'homme ou le peuple à mémoire courte, et qui vit, vit dans la mort, ce qui est pire que de mourir ».

Pour chaque résistant, la Résistance a été une façon de vivre, un style de vie, la vie inventée. Aussi demeure-t-elle dans son souvenir comme une période d'une nature unique, hétérogène à toute autre réalité, sans communication et incommunicable, presque un songe. Il s'y rencontre lui-même à l'état entièrement libre et nu, une inconnue et inconnaissable figure de lui-même, une de ces personnes que ni lui ni personne n'a, depuis, jamais retrouvée et qui ne fut là en relation qu'avec des conditions singulières et terribles, des choses disparues, d'autres fantômes ou des morts. Si chacun de ceux qui ont vécu cette expérience la veut définir pour lui-même, il lui donnera un nom que l'on n'ose pas donner aux aspects ordinaires de la destinée et qui ne saura manquer d'étonner. Encore ne le prononcera-t-il qu'à voix basse, pour lui seul. Certains diront : aventure. Moi, ce moment de mon existence, je l'appelle, pour moi : bonheur. Je m'excuse de parler de moi, mais c'est, je le répète, d'un de mes moi particuliers et qui n'est plus, et que, par conséquent, je puis considérer objectivement. Mais chacun, s'il évoque ce temps, doit parler de lui, qui fut alors le plus pur, c'est-à-dire le plus réduit de lui. […]

Comment ne pourrais-je pas appeler du nom de bonheur – et je n'en trouve pas d'autre qui soit aussi prestigieux et sacré – un temps où, en quelque lieu que ce fût, en prison ou dans la clandestinité, il était possible à l'homme d'estimer l'homme ? On ne connaissait autour de soi que des gens qui n'avaient rien à gagner que le pire. On n'avait à les soupçonner d'aucun calcul de derrière la tête. S'ils couraient des risques, c'est qu'ils l'avaient voulu, et l'on ne pouvait envisager en eux que cette volonté simple. Heureux donc, bienheureux le moment, exceptionnellement ouvert dans l'épaisseur du temps ordinaire, où l'on a pu connaître une si admirable simplification des relations humaines et une aussi franche et lumineuse fraternité.

Jean Cassou,
La Mémoire courte,
Éditions de Minuit, 1953,
rééd. Mille et Une Nuits, 2001

Une histoire à préserver

En 1958, Germaine Tillion rédige un article sur la nébuleuse résistante à laquelle elle a appartenu. Elle y lève un coin du voile sur les sentiments qui agitent les résistants mués en témoins.

Depuis treize ans, j'espère que quelqu'un écrira l'histoire de notre organisation de résistance, afin de ne pas être obligée de le faire moi-même. Mais les années passent et il est injuste de soustraire au public, et plus particulièrement à cette partie du public que constituent les survivants de nos groupes, l'essentiel de ce qui a échappé à la destruction des êtres et des mémoires dans un passé qui nous tient à tous profondément à cœur.

Malgré le nombre des années écoulées, nous n'en sommes encore qu'à la collecte des faits : enchaînements d'innombrables circonstances, coupés d'hiatus et de zones d'ombres. Ils sembleront fastidieux à tous ceux qui n'y ont pas eu part ; pour les autres, au contraire, ils revêtent une importance quasi religieuse. Mais ils ne sont pas seulement fascinants ou dépourvus d'intérêt ; pour les principaux témoins, ils traînent après eux des évocations qui sont encore insupportables. Il a fallu, en effet, un incroyable concours de circonstances, à celui qui a combattu activement dans la Résistance dès 1940, pour échapper d'abord à la mort, ensuite à des souffrances physiques et morales dont la durée et l'intensité ne sont guère imaginables. De là, chez les survivants, une exaspération latente qui se manifeste de façons très diverses : obsession du souvenir, fuite panique devant lui, parfois les deux ensemble. Réactions dont aucun ne facilite la tâche de l'enquêteur, surtout lorsqu'il les partage.

Germaine Tillion,
« Première résistance en zone occupée.
Du côté du réseau Musée
de l'Homme-Hauet-Vildé »,
*Revue d'histoire de la
Deuxième Guerre mondiale*, avril 1958,
rééd. *Esprit*, février 2000

L'imprescriptible

*Allocution prononcée par Vladimir
Jankélévitch à l'UNESCO sous le
patronage de l'Union française
universitaire le 28 novembre 1964 pour
le XXᵉ anniversaire de la Libération.*

Ce que nous commémorons ce soir, ce n'est pas seulement la joie de notre délivrance, ce sont les épreuves de la Résistance, qui en furent le prix : quatre années de lutte et de misère, le danger qui rôde, les rendez-vous suspects […] avec un inconnu ; les coups de sonnette, à six heures du matin – et le cœur cesse de battre… ; la vie traquée, la vie précaire, la vie souterraine qu'on commençait alors à nommer « clandestinité ». Vous vous souvenez, mes amis ?

Souvenirs douloureux aussi, associés pour beaucoup d'entre nous à des souffrances sans nom. Vous êtes nombreux dans cette salle qui portez dans votre cœur une grande peine inconsolable, qui pleurez, comme au premier jour, un époux ou un fils massacrés, torturés par l'Allemand Jean Mauchaussat avait vingt-trois ans quand il est tombé sous les balles allemandes ; Lucien Legros bien moins encore. À cet âge les jeunes gens d'aujourd'hui suivent nos cours, font du ski dans les Alpes, passent leurs vacances aux Baléares : ils peuvent faire tout cela parce que le sacrifice de leurs aînés a rendu possible la déroute des bourreaux et des pendeurs. François Cuzin aurait maintenant la cinquantaine. Jean Cavaillès, Albert Lautman, Pierre Brossolette, Jacques Decour, Georges Papillon, Georges Politzer, Jacques Solomon, Valentin Feldman, Vildé seraient aujourd'hui l'illustration de la pensée et de la science françaises. Ils avaient compris, les lycéens de Buffon, ce que beaucoup d'adultes, hélas ! n'avaient pas compris : car l'« engagement » n'était pas pour eux un sujet de dissertation philosophique, mais un fait de l'existence quotidienne, d'une existence dangereuse tout entière vouée à la lutte sans merci. « J'ai le sentiment à cette heure d'avoir vécu une vie complète… Mon examen de conscience est positif ; je suis en tous points satisfait. Je vous serre une dernière fois sur mon cœur. » Celui qui écrit ces lignes [Lucien Legros] est un enfant, et il va être fusillé dans une heure et demie. Avant *Le Chant des partisans*, montant de l'ombre, vous entendrez la lecture de cette lettre déchirante, et je souhaite que vous ayez la force d'entendre jusqu'au bout ; vous saurez ce que dit un jeune homme qui va mourir… On se demande après cela : pourquoi lire Sénèque, Tite-Live et Plutarque ? La sérénité, la soudaine maturité, le sérieux de cet enfant voué à la mort ont quelque chose de sublime.

C'est donc le recueillement et c'est la fidélité aux souvenirs qui nous rassemblent ce soir : ce soir, et pour un soir, nous penserons plutôt au passé qu'à l'avenir. L'avenir, nous le retrouverons demain matin, avec notre lutte journalière pour la démocratie, – car l'avenir est le pain quotidien de l'action. Mais le passé ! qui le fera revivre ? Qui défendra ces martyrs, ces fusillés ? Nous sommes ici pour cela même, n'est-ce pas ? Pour que ce palais international consacré à la culture et à la paix soit tout plein de leur souvenir et tout vibrant de notre pieuse vénération. Et comment écarterions-nous d'eux notre pensée quand tant de crimes restent inexpiés ? Comment tourner la page quand la prescription, vingt ans après, promet le quitus définitif aux criminels du crime le plus gigantesque que l'histoire ait connu ? Comment passer l'éponge, lorsque les inciviques, s'enhardissant de jour en jour jusqu'à l'arrogance, osent réclamer à grands cris dans leurs feuilles non seulement le transfert à Douaumont des cendres de Pétain, mais la réhabilitation du régime de Vichy en général ? Dès lors il n'est plus question de Cavaillès et de Cuzin, il n'est plus question des déportés scientifiques exterminés, anéantis, piétinés par la férocité allemande : c'est à la mémoire de Pétain et c'est au talent de Brasillach que s'intéressent nos inciviques. Après tout, à chacun ses fusillés, n'est-ce pas ? Le jour où Pétain sera enterré à Douaumont, il n'y aura plus qu'à jeter à la fosse commune les restes des lycéens et des professeurs ensevelis dans la crypte de la Sorbonne.

Ce soir, quand tout convie à l'indifférence, à l'ingratitude et à la frivolité, nous pensons à l'agonie de ces enfants, de ces résistants qui sont tombés sous les balles des bourreaux ; ils dorment à présent de leur dernier sommeil, et le grand silence éternel s'établit peu à peu au-dessus de leurs sépultures. Mais nous, nous les honorons chaque année ; et aujourd'hui, après vingt ans, leur suprême message s'impose à nous avec une évidence particulière. Tout à l'heure le *Requiem* de Fauré, dans sa langue ineffable, va exprimer tout ce que nous sentons et ne pouvons dire, et qui pourtant se formule obscurément dans nos cœurs : la sublime imploration du *Libera me* évoquera notre propre Libération, puisque c'est cette Libération que nous commémorons aujourd'hui. Mais nous penserons aussi, en écoutant le *Dies irae*, aux jours de la colère et de la calamité, de la tribulation et de l'inexprimable misère, et au lac obscur qui a englouti tant de vies précieuses. Nous ne sommes pas ici de ceux pour qui il ne s'est rien passé entre 1940 et 1944 : mais la honte et l'humiliation de ces années maudites sont transfigurées pour nous par l'exemple impérissable de ceux qui sacrifièrent à la liberté leur avenir et leur jeunesse.

Vladimir Jankélévitch,
L'Imprescriptible. Pardonner ?
Dans l'honneur et la dignité,
Le Seuil, 1986

« Nos vies prises dans la trame d'un même tissu »

Dans l'incapacité d'assister à la remise de la Légion d'honneur à un de ses camarades de résistance, Jean-Pierre Vernant (alias colonel Berthier) sort de sa réserve pour livrer son interprétation du sens profond de la lutte clandestine.

Athènes, le 25 sept 1983
Cher Bénech, cher Pendariès,
Comment ne pas t'évoquer sous ces deux noms, au jour où je voudrais être auprès de toi avec les amis qui t'entourent pour te fêter. Deux noms, une même et seule personne pour recevoir enfin cette distinction si méritée, et qui n'a que trop tardé. Mais, tu le sais, pour tous ceux qui ont, comme toi et pour les mêmes raisons, endossé plusieurs noms, il n'était pas besoin de la consécration d'une médaille, après ce qu'on a vu Pendariès faire et la façon dont il l'a fait, pour connaître qui est Bénech et ce qu'il vaut.

Si j'étais là, au lieu de me trouver retenu à Athènes par mon métier, je n'énumérerais pas certains de tes exploits ni n'évoquerais la longue, l'obscure et dangereuse lutte souterraine que tu as menée. Je te dirais plutôt ce que je sens profondément : de t'avoir connu Pendariès quand j'étais pour toi Jougla, Lacomme ou Berthier, cela a créé entre

nous un lien d'une force particulière. D'avoir traversé ensemble cette période où, en risquant chaque jour le pire, nous donnions de nous le meilleur, c'est comme si nos vies, prises dans la trame d'un même tissu, se trouvaient désormais en quelque façon unies et inséparables.

Et il me semble que je comprends pourquoi. Quand tout est exceptionnel : les circonstances, le péril, les enjeux, les risques, les espoirs, les êtres en qui on a pu mettre totalement sa confiance vous demeurent proches à la façon d'un parent, d'un frère. Il y a entre eux et vous la même connivence secrète, la même immédiate complicité qu'avec les membres de sa propre famille. Ceux qui ont combattu dans la Résistance en s'y donnant tout entiers forment vraiment une « confrérie » ; il suffit d'un mot, d'une remarque, d'une allusion : on se reconnaît aussitôt, on se retrouve entre soi.

Cher Bénech, nous avons tous deux pris de l'âge, du poids – dans notre corps, nos charges, nos responsabilités. Nous avons changé. Mais le fil est bien là que nous avons noué dans la jeunesse de notre mutuel engagement, à côté l'un de l'autre et de tous ceux, morts et vivants, qui étaient des nôtres au cours de ces années qu'évoque ta Légion d'Honneur. Tous ces amis, ceux qui sont tombés et ceux qui s'en sont sortis, – ce temps d'hier, si proche et si lointain par rapport aux jours d'aujourd'hui, – je voudrais les associer à ta personne dans mon témoignage d'amitié fidèle, d'affectueuse confiance. Pour que tout demeure en place dans nos existences, intact dans nos mémoires, garde toujours en toi, mon vieux Bénech, le jeune Pendariès bien vivant.

Je te félicite et t'embrasse.

Vernant-Berthier,
lettre des archives J.-P. Vernant, IMEC,
in *Le Genre humain*, Seuil, 2007

BIBLIOGRAPHIE

Ouvrages généraux sur la période

– Azéma, Jean-Pierre, *De Munich à la Libération, 1938-1944,* Seuil, 1979.
– Azéma, Jean-Pierre, et Bédarida, François, *La France des années noires*, 2 vol., Seuil, 1993.
– Fouilloux, Étienne, *Les Chrétiens entre crise et libération, 1937-1947*, Seuil, 1997.
– Hoffmann, Stanley, *Essais sur la France : déclin ou renouveau*, Seuil, 1974.
– Jackson, Julian, *La France sous l'Occupation, 1940-1944*, Flammarion, 2004.
– Laborie, Pierre, *L'Opinion publique sous Vichy*, Seuil, 1990.
– Laborie, Pierre, *Les Français des années troubles. De la guerre d'Espagne à la Libération*, coll. « Points Histoire », Seuil, 2001.
– Lindeperg, Sylvie, *Les Écrans de l'ombre. La Seconde Guerre mondiale dans le cinéma français*, CNRS Éditions, 1997.
– Michel, Henri, *Vichy année 40*, Robert Laffont, 1966.
– Paxton, Robert, *La France de Vichy, 1940-1944*, Seuil, 1973.
– Peschanski, Denis, *Vichy 1940-1944 : contrôle et exclusion*, Complexe, 1997.
– Poznanski, Renée, *Être juif en France pendant la Deuxième Guerre mondiale*, Hachette, 1994.
– Rousso, Henry, *Les Années noires. Vivre sous l'Occupation*, coll. «Découvertes», Gallimard, 1992.
– Veillon, Dominique, *Vivre et survivre en France 1939-1947*, Payot, 1995.

Ouvrages sur l'histoire de la Résistance et de la France Libre

– Aglan, Alya, *La Résistance sacrifiée : le mouvement Libération-Nord,* Flammarion, 1999.
– Albertelli, Sébastien, *Les Services secrets du général de Gaulle. Le BCRA 1940-1944*, Perrin, 2009.
– Andrieu, Claire, *Le Programme commun de la Résistance. Des idées dans la guerre*, Éditions de l'Érudit, 1984.
– Azéma, Jean-Pierre, *Jean Moulin. Le Politique, le rebelle, le résistant*, Perrin, 2003.
– Bédarida, Renée, *Les Armes de l'esprit : Témoignage chrétien, 1941-1944*, Éditions ouvrières, 1977.
– Blanc, Julien, *Au commencement de la Résistance. Du côté du musée de l'Homme, 1940-1941*, Seuil, 2010.
– Broche, François, Caïtucoli, Georges, et Muracciole, Jean-François (dir.), *Dictionnaire*

de la France Libre, coll. « Bouquins », Robert Laffont, 2010.
– Cordier, Daniel, *Jean Moulin : l'inconnu du Panthéon*, 3 vol., Lattès, 1989-1993.
– Cordier, Daniel, *Jean Moulin : la République des catacombes*, Gallimard, 1999.
– Courtois, Stéphane, *Le PCF dans la guerre : de Gaulle, la Résistance, Staline,* Ramsay, 1980.
– Crémieux-Brilhac, Jean-Louis, *La France libre : de l'appel du 18 juin à la Libération*, Gallimard, 1996, rééd. coll. « Folio », 2001.
– Douzou, Laurent, *La Désobéissance. Histoire d'un mouvement et d'un journal clandestins : Libération-Sud (1940-1944)*, Odile Jacob, 1995.
– Douzou, Laurent (dir.) et al., *La Résistance et les Français : villes, centres et logiques de décision*, IHTP, 1995.
– Federini, Fabienne, *Écrire ou combattre. Des intellectuels prennent les armes (1942-1944)*, La Découverte, 2006.
– Foot, Michael R. D., *Des Anglais dans la Résistance. Le service secret britannique d'action SOE en France, 1940-1944*, Tallandier, 2008.
– Frank, Robert, et Gotovitch, José, *La Résistance et les Européens du Nord*, 2 vol., IHTP, 1994-1996.
– Gildea, Robert, *Marianne in Chains : Daily Life in the Heart of France during the German Occupation,* Londres, Picador, 2002.
– Guérin, Alain, *Chronique de la Résistance*, Omnibus, 2000.
– Guillon, Jean-Marie, et Laborie, Pierre, *Mémoire et histoire : la Résistance*, Privat, 1995.
– Guillon, Jean-Marie, et Mencherini, Robert (dir.), *La Résistance et les Européens du Sud*, L'Harmattan, 1999.
– Kedward, Harry Roderick, *Naissance de la Résistance dans la France de Vichy. Idées et motivations 1940-1942*, Champ Vallon, 1989.
– Kedward, Harry Roderick, *À la recherche du maquis. La Résistance dans la France du Sud, 1942-1944*, Cerf, 1999.
– Levisse-Touzé, Christine, *Paris libéré, Paris retrouvé*, coll. « Découvertes », Gallimard, 1994.
– Luneau, Aurélie, *Radio-Londres, 1940-1944. Les voix de la liberté*, Perrin, 2005.
– Marcot, François (dir.), *La Résistance et les Français : lutte armée et maquis*, Les Belles Lettres, 1996.
– Marcot, François (dir.), *Dictionnaire historique de la Résistance*, coll. « Bouquins », Robert Laffont, 2006.
– Michel, Henri, *La Guerre de l'ombre. La Résistance en Europe*, Grasset, 1970.
– Noguères, Henri, avec Degliame-Fouché,

Marcel, *Histoire de la Résistance en France de 1940 à 1945*, 5 vol., Robert Laffont, 1967-1981.
– Piketty, Guillaume, *Pierre Brossolette : un héros de la Résistance*, Odile Jacob, 1998.
– Prost, Antoine (dir.), *La Résistance, une histoire sociale*, Éditions de l'Atelier, 1997.
– Sadoun, Marc, *Les Socialistes sous l'Occupation : résistance et collaboration*, Fondation nationale des sciences politiques, 1982.
– Sainclivier, Jacqueline, et Bougeard, Christian (dir.), *La Résistance et les Français : enjeux stratégiques et environnement social*, Presses universitaires de Rennes, 1995.
– Sapiro, Gisèle, *La Guerre des écrivains, 1940-1953*, Fayard, 1999.
– Semelin, Jacques, *Sans armes face à Hitler : la résistance civile en Europe, 1939-1943*, Payot, 1989.
– Simonin, Anne, *Les Éditions de Minuit : le devoir d'insoumission*, IMEC, 1984.
– Sweets, John F., *Clermont-Ferrand à l'heure allemande*, Plon, 1996.
– Vast, Cécile, *L'Identité de la Résistance. Être résistant, de l'Occupation à l'après-guerre*, Payot, 2010.
– Veillon, Dominique, *Le « Franc-Tireur », un journal clandestin, un mouvement de résistance, 1940-1944*, Flammarion, 1977.
– Vistel, Alban, *La Nuit sans ombre*, Fayard, 1970.
– Wieviorka, Olivier, *Une certaine idée de la Résistance : Défense de la France 1940-1949*, Seuil, 1995.

**Mémoires, souvenirs, écrits
de résistants ou de proches**

– Aubrac, Lucie, *Ils partiront dans l'ivresse*, Seuil, 1985.
– Bauer, Anne-Marie, *Les Oubliés et les ignorés*, Mercure de France, 1993.
– Bloch, Marc, *L'Étrange défaite*, 1953, rééd. « Folio », Gallimard, 1990.
– Bourdet, Claude, *L'Aventure incertaine : de la Résistance à la restauration*, Stock, 1975.
– Brossolette, Pierre, *Résistance (1927-1943)*, textes rassemblés et commentés par Guillaume Piketty, coll. « Opus », Odile Jacob, 1998.
– Cabanel, Patrick, *Chère Mademoiselle… Alice Ferrières et les enfants de Murat, 1941-1944*, Calmann-Lévy, 2010.
– Canguilhem, Georges, *Vie et mort de Jean Cavaillès*, Éditions Allia, 1996.
– Cassou, Jean, *La mémoire courte*, Mille et Une Nuits, 2001.
– Cordier, Daniel, *Alias Caracalla*, Gallimard, 2009.

– Frenay, Henri, *La nuit finira. Mémoires de Résistance, 1940-1945*, Michalon, 2006.
– Humbert, Agnès, *Notre guerre. Souvenirs de Résistance*, Tallandier, 2004.
– Kessel, Joseph, *L'Armée des ombres*, 1943, rééd. Plon Pocket, 1963.
– Krivopissko, Guy (éd.), *La Vie à en mourir. Lettres de fusillés (1941-1944)*, Tallandier, 2003.
– Lusseyran, Jacques, *Et la lumière fut*, Le Félin poche, 2008.
– Maspero, François, *Les Abeilles et la guêpe*, Seuil, 2002.
– Passy, colonel, *Mémoires du chef des services secrets de la France Libre*, Odile Jacob, 2000.
– Postel-Vinay, André, *Un fou s'évade. Souvenirs de 1940-1942*, Le Félin poche, 2004.
– Tillion, Germaine, « Première Résistance en zone occupée. Du côté du réseau "musée de l'Homme-Hauet-Vildé" », *Esprit*, février 2000, pp. 106-124 (originellement publié en avril 1958 dans la *Revue d'Histoire de la Deuxième Guerre mondiale*, n° 30).
– Vernant, Jean-Pierre, *Entre mythe et politique*, Seuil, 1996.
– Vernant, Jean-Pierre, *La Traversée des frontières*, Seuil, 2004.
– Vistel, Alban, *Héritage spirituel de la Résistance*, Éditions Lug, 1955.
– Yung-de Prévaux, Aude, *Un amour dans la tempête de l'histoire. Jacques et Lotka de Prévaux*, Le Félin poche, 2004.

FILMOGRAPHIE

– *La Libération de Paris*, Comité de Libération du cinéma français, 1944.
– *La Bataille du rail*, René Clément, 1945.
– *Jéricho*, Henri Calef, 1945.
– *Le Père tranquille*, Noël Noël et René Clément, 1946.
– *Le Silence de la mer*, Jean-Pierre Melville, 1947.
– *Un condamné à mort s'est échappé*, Robert Bresson, 1956.
– *Marie-Octobre*, Julien Duvivier, 1959.
– *La Grande Vadrouille*, Gérard Oury, 1966.
– *Paris brûle-t-il ?* René Clément, 1967.
– *L'Armée des ombres*, Jean-Pierre Melville, 1969.
– *Le chagrin et la pitié*, Marcel Ophüls, 1971.
– *Lacombe Lucien*, Louis Malle, 1974.
– *L'Affiche rouge*, Frank Cassenti, 1976.
– *Papy fait de la Résistance*, Jean-Marie Poiré, 1983.
– *Blanche et Marie*, Jacques Renard, 1985.
– *Libera me*, Alain Cavalier, 1993.
– *Un héros très discret*, Jacques Audiard, 1995.

MUSÉES

Parmi les nombreux musées traitant de la Résistance, on peut signaler : le Centre d'histoire de la Résistance et de la Déportation de Lyon, le Mémorial de Caen, le Mémorial Leclerc et de la Libération de Paris-Musée Jean-Moulin, le musée de la Résistance et de la Déportation de Besançon, le musée de la Résistance nationale de Champigny-sur-Marne, le musée de la Résistance et de la Déportation de l'Isère à Grenoble. Outre leur vocation pédagogique, ils s'attachent, avec le concours de la Fondation de la Résistance, à retrouver la trace d'archives privées pour les préserver.

QUELQUES SITES INTERNET

www.fondationresistance.org
www.ordredelaliberation.fr
www.fmd.asso.fr
www.france-libre.net
www.charles-de-gaulle.org
www.aeri-resistance.com
www.invalides.org
www.cheminsdememoire.gouv.fr
www.anacresistance.com

TABLE DES ILLUSTRATIONS

parue dans le *Coq Hardi* dès 1944.
34h Henri Frenay.
34b Emmanuel d'Astier de la Vigerie.
35 Jean-Pierre Lévy.
36 Imprimerie lyonnaise de l'Amitié chrétienne et *Témoignage Chrétien* dans laquelle sont fabriqués des faux papiers pour les Juifs menacés de déportation.
37 *Défense de la France*, 1941.
38g et **38d** Faux papiers d'identité de Jacqueline Dreyfus, résistante juive, 1940 et 1941.
39g *La Voix du Nord*, journal clandestin, 15 avril 1942, dessin de Jean Piat.
39d *Le Cri de la Patrie*, journal clandestin, organe régional du Front national pour la libération et l'indépendance de la France (Drôme-Ardèche), n° 1, novembre 1943.
40 « Kit » servant à produire des faux papiers fabriqués par l'atelier de *Témoignage Chrétien*, très probablement 1944.
41h et **41b** Réalisation de faux papiers par le dessinateur Jean Stetten-Bernard dans l'atelier de *Témoignage Chrétien*, très probablement en 1944.
42 Relevé des messages attendus pour des parachutages sur les terrains d'aviation du Jura, 1944.
43 Émilienne Moreau-Évrard, Londres, 1944.

44 *L'Université libre*, journal clandestin, n° 27, 25 juillet 1941.
45h Daniel Mayer.
45b Tract communiste annonçant l'exécution de Gabriel Péri et Lucien Sampaix, décembre 1941.
46 Jacques Decour.
47 *Les Lettres françaises*, avril 1943.
48 De gauche à droite, Dupérier, Chevigné, Lucas, Koenig, Dewavrin et Raulin.
49 Honoré d'Estienne d'Orves.
50 Faux papiers de Jean Moulin.
50-51 Jean Cavaillès et ses hommes lors de la campagne de France.
51 Odette Sansom.
52 *Libération* n° 12, 18 mai 1942.
53 Georges Bidault, vers 1945.
54-55 Carte des comités de la France Libre répartis à l'étranger et dans l'empire colonial français, 1942.
55 *Libération* zone sud, n° 30, 1er juillet 1943.
56-57 Papillon des Mouvements unis de la Résistance (MUR), 1943.

CHAPITRE 3

58 Maquisards français montant la garde dans les montagnes de l'Ain, 1944.
59 Brassard FFI. Coll. musée de la Résistance nationale, Champigny-sur-Marne.
60 Rencontre entre l'amiral Darlan et le général Giraud, Alger, novembre 1942.
61 Conférence de

Casablanca : Giraud, Roosevelt, de Gaulle et Churchill, 14 janvier 1943.
62 Manifestation en gare de Romans (Isère) contre le STO, 10 mars 1943.
62-63 Une de *Libération*, n° 25, 1er mars 1943.
63 Affiche éditée par la Propaganda Abteilung et les services de l'Information de Vichy, janvier 1943. Musée départemental d'Histoire de la Résistance et de la Déportation de l'Ain et du Haut-Jura, Nantua.
64 Pierre Brossolette à l'Albert Hall, Londres, 18 juin 1943.
65h Le général Delestraint : photographie anthropométrique prise par la Gestapo, rue des Saussaies à Paris, septembre-octobre 1943.
65b De Gaulle et Claude Bouchinet-Serreulles.
66-67 *Défense de la France*, n° 47, août 1944.
67 Affichette clandestine.
68 Programme du Service d'ordre légionnaire de la Légion française des combattants, 1942.
69 Miliciens prêtant serment dans la cour des Invalides, Paris, 1er juillet 1944.
70h Camp d'internement de Pithiviers (Loiret), 1941.
70b Tract réalisé par le Parti communiste français, 1943.

71 Pierre Laval, le général SS Oberg, au centre, et le commandant SS Hagen, à droite, mai 1943.
72h Missak Manouchian et sept résistants de son groupe, arrêtés en 1944, peu de temps avant leur exécution en février 1944.
72b et **73** Recto et verso de l'« affiche rouge » éditée sous forme de tract.
74-75 Maquis en Haute-Corrèze, région d'Ussel, août 1944.
76h Maquis dans les environs de Grenoble.
76b Préparation d'une opération dans le maquis de la Chartreuse en août 1944 (au centre, le bras en écharpe, le commandant Joly Lyautey de Colombe). Coll. F. Joly Lyautey de Colombe.
77h Ramassage d'un parachutage, plateau du Vercors, 14 juillet 1944.
77b Campement de résistants dans un maquis.
78 Groupe de résistants dirigé par Louis Dulac et Louis Guillot à Boussoulet, en Haute-Loire en janvier 1944.
79 Maquis dans l'Ain. Musée départemental de la Résistance et de la déportation de l'Ain et du Haut-Jura, Nantua.
80b Jacques Bingen.
80-81 Arrestation de personnes soupçonnées d'actes de résistance

INDEX

CRÉDITS PHOTOGRAPHIQUES

Archives départementales du Lot-et-Garonne, Agen dos. Archives de l'IHTP, Paris 18b (Pr. C. 526), 39g (Pr. C. 104). Archives de L'OURS, Paris 45h. Archives Gallimard 17b. Archives Gallimard / Photo P. Léger 1, 2-3, 4-5, 6-7, 8-9, 87, 86-87. Bibliothèque centrale du MNHN, Paris 19. CHRD, Lyon 6-7, 21h, 76b, 79. CHRD, Lyon 94h, 94b. Coll. Musée de la Résistance Nationale, Champigny-sur-Marne 2e plat, 2-3, 4-5, 11, 14, 26, 31, 32, 39d, 44, 52, 56-57, 59, 62-63, 67, 72b, 73, 74-75, 76h, 84h, 85, 92, 125. Coll. Musée de la Résistance Nationale, Champigny-sur-Marne / Photo Julia Pirotte 86b. Coll. Conservation départementale des Musées de l'Ain 63. Coll. Guillin 65h. Coll. Julien Blanc 83. Coll. Laurent Douzou 84b. Coll. Part. 14-15. Droits réservés 68, 71, 80-81. ECPAD 64, 77h. Gamma-Rapho / Keystone 1, 13, 22-23, 27, 60, 78, 97. Gamma-Rapho / Keystone / L'Humanité 58. Imperial War Museum, Londres 28b, 30. Musée de l'Ordre de la Libération, Paris 16, 34h, 34b, 43, 48, 49, 50-51, 65b , 80, 82. Musée de la Résistance et de la Déportation, Besançon 17h, 20, 21bg, 21bd, 24, 25, 29, 36, 37, 38g, 38d, 40, 41h, 41b, 42, 45b, 54-55, 55, 66-67, 70b. Kharbine Tapabor 33, 47. Kharbine Tapabor / Coll. IM 23. Library of Congress, Washington 28h. Mémorial du Maréchal Leclerc de Hauteclocque et de la Libération de Paris, Paris-Musée Jean Moulin, Ville de Paris 50. Mémorial du Maréchal Leclerc de Hauteclocque et de la Libération de Paris, Paris-Musée Jean Moulin, Ville de Paris /Fonds Antoinette Sasse 96. Mémorial de la Shoah / CDJC 70h. NARA, Washington 15b. Roger-Viollet 8-9, 72h, 88b, 89h, 93. Roger-Viollet/LAPI 69, 88h, 95, 117. Roger-Viollet/Heritage Images 77b. Roger-Viollet/TopFoto 61, 90-91, 99. Rue des Archives/Tal 12, 53. Roll of Honour / D.R. 51. Service Historique de la Défense, Vincennes 1er plat, 18h, 22, 35, 46, 62b. Studio Schall / Pierre Roughol 89b.
©Adagp, Paris, 2010 94h, 94b.

REMERCIEMENTS

L'auteur remercie Julien Blanc, le docteur François-Yves Guillin, Lisa Buchaudon, Anne Lemaire, Laurent Lempereur, Anne Mensior et Dominique Missika.

ÉDITION ET FABRICATION

DÉCOUVERTES GALLIMARD
COLLECTION CONÇUE PAR Pierre Marchand.
DIRECTION Élisabeth de Farcy.
COORDINATION ÉDITORIALE Anne Lemaire.
GRAPHISME Alain Gouessant.
COORDINATION ICONOGRAPHIQUE Isabelle de Latour.
SUIVI DE PRODUCTION Perrine Auclair.
SUIVI DE PARTENARIAT Madeleine Giai-Levra.
RESPONSABLE COMMUNICATION ET PRESSE Valérie Tolstoï.
PRESSE David Ducreux.

LA RÉSISTANCE, UNE MORALE EN ACTION
ÉDITION Anne Lemaire et Laurent Lempereur.
ICONOGRAPHIE Lisa Buchaudon et Anne Mensior.
MAQUETTE Alain Gouessant.
LECTURE-CORRECTION Pierre Granet et Jocelyne Moussart.
PHOTOGRAVURE Studio NC.

Laurent Douzou est professeur des universités
à l'Institut d'études politiques de Lyon où il enseigne l'histoire contemporaine.
Spécialiste de l'histoire et de la mémoire de la Deuxième Guerre mondiale,
il a notamment publié *La Désobéissance. Histoire d'un mouvement et d'un
journal clandestins (1940-1944)* (Odile Jacob, 1995), *La Résistance française :
une histoire périlleuse* (Seuil, 2005) et *Lucie Aubrac* (Perrin, 2009).
Il est actuellement en délégation à la Maison française d'Oxford.

*En souvenir d'Alice et Henri Sonnier,
résistants lyonnais effacés des mémoires*

Dépôt légal : novembre 2010
Numéro d'édition : 176814
ISBN : 978-2-07-043930-0
Imprimé en France par Loire Offset Titoulet